나, 오늘 책읽기 어떻게 해!

글 조혜원 | 그림 박선미

파란정원

여러분, 안녕하세요? 여기에요, 여기!

눈을 조금만 크게 떠 보세요. 이젠 보이시나요? 맞아요. 커다란 안경을 쓰고 있는 책벌레가 바로 저랍니다. 도서관에 한 번이라도 가 본 친구들은 나를 본 적이 있을 거예요.

매일 가는 데도 못 봤다구요? 흠, 그럴 수도 있겠네요. 내 모습이 신기한지 가끔씩은 나를 잡으려는 개구쟁이 친구들 때문에 주문을 걸어 한참동안 모습을 감추기도 하거든요.

그런데 그렇게 도서관에서 오래 살다 보니 친구들이 투덜대는 소리가 너무 자주 들리는 거예요. '치, 엄마는 책이 이렇게 많다는 걸 알고 있을까? 도대체 무슨 책을 읽어야 하는지 모르겠단 말이야.', '책을 골라주지도 않으면서 만날 만화책만 읽는다고 뭐라 그러면 어떡해?', '공부도 하라 그러고 책도 읽으라 그러고, 책을 읽으면서 공부도 할 수 있게 만들면 좋잖아.' 뭐, 이런 이야기들이 하루 종일 들려서 도대체 일을 할 수가 있어야지요.

책벌레가 무슨 일을 하냐고요? 그거야 당연히 책을 읽어 보는 일이죠. 책이 들어오면 하나하나 꼼꼼하게 읽어 본답니다. 어떤 책들이 우리 친구들에게 좋을지 생각하면서요.

그래서 이번에 저 책벌레가 여러분들의 고민을 해결해 주려고, 그 동안 읽은 책을 바탕으로 친구들에게 도움이 될 만한 책들을 골라 봤어요. 재미있는 책을 읽으면서 교과서와 관련된 부분들을 생각하는 코너도 만들었답니다. 학교에서 배운 내용을 복습해 보는 의미로도 좋고, 새 학기에 어떤 내용들을 배울지 궁금한 친구들은 재미있는 책으로 예습을 해 볼 수도 있는 알차고 즐거운 시간이 될 수 있을 거예요.

글쓴이 **조혜원**

● 차 례 ●

교과 연계 책들을 읽으면 좋은 이유는 무엇일까요?

"교과 연계 책이니까 한번 읽어 봐."

그동안 이렇게 권해 주는 책들을 많이 봤을 거예요. 수업 중에 잘 이해가 가지 않았거나, 더 많은 것을 알고 싶을 때 그 부분을 풍부한 내용으로 잘 알 수 있도록 도와주는 책이 교과 연계 책입니다. 교과서에는 일부부만 실려 있지만, 책을 펼치면 처음부터 끝까지 본문의 내용을 모두 만날 수 있어요. 그래서 더 내용을 이해하기도 쉽고 재미있어지지요. 하지만 막상 처음부터 끝까지 다 읽었는데 어떻게 교과 수업에 도움이 된다는 건지 잘 모르는 친구들도 있을 거예요. 책을 많이 읽으면 여러 가지로 도움이 되는 것은 당연하지만 어떻게 읽느냐에 따라서 또 달라질 수 있어요. 이 책에서는 교과 연계 책들을 어떻게 읽으면 좋을지, 어떤 생각을 하면서 읽어야 더 큰 도움을 얻을 수 있는 지에 관해서 이야기해 볼 거예요.

어떻게 읽어야 더 큰 도움을 받을 수 있을까요?

우선 책을 읽는 동안 무슨 내용인지 가닥을 잡기 위해 간단한 줄거리를 정리하면서 읽는 것이 좋아요. 이렇게 책의 줄거리 파악이 완료되었으면 그 다음에는 책을 읽기 전에 생각할 거리들을 알아야 해요. 줄거리만 아는 게 중요한 게 아니라 그 부분을 좀 더 집중해서 깊은 생각을 끌어내는 것이 중요하거든요. 교과서와 어떤 부분이 어떻게 연계되는지를 짚어서 꼼꼼하게 생각해 본다면 큰 도움이 될 거예요.

책을 읽을 때는 다 기억할 것 같지만 시간이 지나면 내가 어떤 느낌으로 그 책을 읽었는지 잊어버리는 경우가 많답니다. 그렇게 되지 않으려면, 책을 읽은 후에 꼭, 독서록을 작성해 두는 것이 좋아요. 독서록을 쓸 때 어떤 생각을 하면 좋을지와 다양한 독서록 예시를 제시해 두었으니 그 내용들을 다시 생각해 보고, 자기만의 독서록도 꼭 작성해 보세요.

《60억 인구》
르네 에스뀌디에 글, 삼성당 펴냄
★
〈수학〉
6. 표와 그래프(2-2)

같이 읽으면 좋은 책★★
《참 쉬운 수학사전》
전국수학교사모임 초등교육과정팀 글, 씽크하우스 펴냄

로벵은 수학을 아주 싫어합니다. 숫자만 나와도 어지러워하죠. 곱셈 문제에 엉뚱한 대답을 하자 선생님은 수학을 가장 못하는 아이로 방송출연을 하면 좋겠다고 하셨어요.

다음날 학교에 가는 길에 로벵은 방송국 차가 세 대나 와 있는 것을 보고 창피당하기 싫은 마음에 몰래 학교를 빠져나옵니다. 하지만 사람들은 끈질기게 로벵을 쫓아와요. 마침내 집 앞 나무 위에서 잡힌 로벵에게 방송국 아저씨는 질문을 합니다. "그래, 60억 번째로 태어난 아기의 형이 된 소감이 어떠니?"

이렇게 동화로 시작된 이야기는 다양한 도표와 사진, 그림을 통해 60억 인구에 대한 모든 것을 보여 줍니다. 인구가 많을 때와 적을 때의 문제점, 미래에 인구는 얼마나 될지, 중국이 인도 인구를 앞지를 수 있을까 등등 다양한 자료들이 쉽게 설명되어 있어요.

2학년 2학기 〈수학〉 '6. 표와 그래프'에서는 표를 보고 그래프로 나타내는 방법, 표와 그래프를 보고 알게 된 것을 이야기하는 방법, 그래프로 나타내면 편리한 점 등을 공부합니다.

그래프를 보면 많고 적음을 한눈에 알 수 있어서 좋아요. 표를 이용하면 각 종류별 개수와 전체의 개수를 쉽게 알 수 있다는 장점이 있지요.

《60억 인구》에서도 그래프와 표를 많이 찾아볼 수 있답니다. 1999년에 인구가 가장 많은 10개국을 그래프로 나타냈는데 1위 중국, 2위 인도, 3위 미국이라는 걸 한눈에 알아볼 수 있어요.

그래프를 표로 바꾸려면 어떻게 해야 할까요?

'1999년 인구가 가장 많은 10개국'의 그래프를, 표로 다시 바꿀 수 있어요.

순위	1위	2위	3위	4위	5위	6위	7위	8위	9위	10위
나라	중국	인도	미국	인도네시아	브라질	파키스탄	러시아	방글라데시	일본	나이지리아
인구	1266	998	276	209	168	152	147	127	126	109

(단위: 백만명)

👧 그림을 그래프로 표시하려면 어떻게 해야 할까요?

각 나라마다 수명이 다르다고 해요. 평균 수명은 40세에서 80세까지 다양한데 각 국가별 수명을 표시한 그림을 그래프로 표현해 보세요.

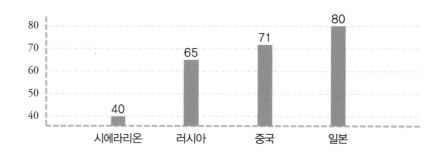

다양한 생각과 함께 하는 독서록 ★*

👦 자원을 아껴야 하고 쓰레기를 줄여 환경 파괴를 막아야 해요. 현재의 기술로 100억의 사람이 먹고 사는 일은 가능하지만 정치, 전쟁 등으로 굶주리는 사람들도 있어요. '100억의 인구가 살아가기' 위해서 가장 중요한 것은 무엇이라고 생각하나요? 왜 그렇게 생각하나요?

그래프로 표현할 수 있는 주제를 생각해 보세요.

제목 이제는 70억이래

세계 인구가 60억인 것도 되게 많다고 생각했는데
이제는 70억이 되었다고 아빠가 그러셨다.
표가 많이 나와서 어려울 것 같았지만 차근차근 읽어 보니 어렵지 않았다.
오히려 표나 그래프로 표시하니까 내용이 한눈에 들어와서 좋았다.
우리 반 30명의 꿈을 그래프로 만들어 보았다.

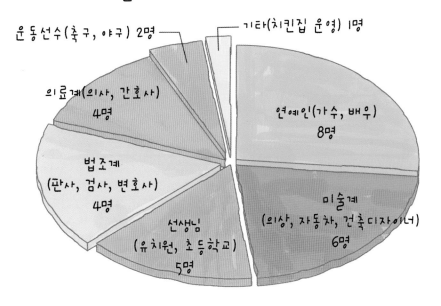

운동선수(축구, 야구) 2명

기타(치킨집 운영) 1명

의료계(의사, 간호사) 4명

연예인(가수, 배우) 8명

법조계 (판사, 검사, 변호사) 4명

미술계 (의상, 자동차, 건축디자이너) 6명

선생님 (유치원, 초등학교) 5명

《개구리와
두꺼비가 함께》
아놀드 로벨 글, 비룡소 펴냄
★
〈바른 생활〉
1. 소중한 약속(2-2)

같이 읽으면 좋은 책★
《깜빡깜빡 깜빡이 공주》
박혜숙 지음, 소담주니어 펴냄

엉뚱한 두꺼비와 차분하게 생각할 줄 아는 개구리는 아주 친한 친구입니다. 두꺼비는 계획표대로 생활을 하는데, 우연히 계획표를 잃어버리자 해야 일도 잊어버려요. 그러다 날이 어두워져 개구리가 자러 가자고 했을 때에야 잠자기가 계획표 마지막에 있었던 걸 기억해내곤 행복하게 잠이 드는 〈계획표〉, 개구리처럼 꽃밭을 가꾸고 싶었던 두꺼비가 씨앗을 심고는 성급하게 새싹이 나오길 기다리면서 이야기를 들려 주고 노래를 불러 주고, 시를 읽어 주는 모습이 웃음을 짓게 하는 〈꽃밭 가꾸기〉, 맛있는 과자를 구워서 개구리와 함께 먹다가 배탈이 날까 봐 그만 먹자고 했지만 둘 다 멈출 수가 없어서 결국 새들에게 주고 만다는 〈과자 소동〉, 책에서 용감한 사람들 이야기를 읽고 자신들이 얼마나 용감한지 알고 싶은 마음에 산에 갔다가 뱀을 만나 혼비백산하는 이야기를 담은 〈용감한 개구리와 두꺼비〉, 꿈에 멋진 극장에서 가장 위대한 두꺼비가 되지만 잘난 척을 할수록 자꾸만 작아져서 결국은 보이지 않게 된 개구리가 제일 소중하다는 걸 깨닫는 이야기는 〈꿈〉에서 볼 수 있답니다.

'앞으로는 어떻게 하겠다.' 라는 약속을 해 본 적이 있을 거예요. 나와 하는 약속, 친구와 하는 약속, 선생님이나 가족과 하는 약속, 공공장소에서 하는 약속 등 약속도 여러 가지가 있어요. 2학년 2학기 〈바른 생활〉 '1. 소중한 약속'은 약속을 지켜야 하는 까닭과 약속을 잘 지키기 위해 노력해야 할 일, 약속을 지키지 못하게 되었을 때는 어떻게 해야 하는지를 배우는 단원입니다.

《개구리와 두꺼비가 함께》에 나오는 개구리와 두꺼비를 보면서 약속이 얼마나 소중한 것인지를 다시 한번 생각해 보세요.

두꺼비는 자신과 약속을 하기 위해 계획표를 만들었어요. 그런데 계획표가 바람에 날아가 버리자 가만히 앉아만 있었지요. 이렇게 약속을 지키지 못하게 되었을 때는 어떻게 하는 것이 옳은지 생각하면서 읽어요.

해야 할 일을 꼼꼼하게 적어 두고 하나씩 실천하는 건 자신과 약속을 지키는 아주 멋진 일이에요. 하지만 두꺼비처럼 해야 할 일을 적은 종이가 날아가 버렸다고 해서 아무 일도 안 한다는 건 시간을 낭비하는 일이 아닐까요? 개구리처럼 그 종이를 잡으려고 노력해보거나 계획표를 처음부터 다시 만들려고 했다면 우두커니 앉아 보낸 시간보다 훨씬 행복하고 재미있게 보낼 수 있었을 거예요.

다양한 생각과 함께 하는 독서록 ★*

두꺼비는 계획표가 바람에 날아갈 때 계획표에 들어 있지 않다고 잡으러 가지 않아요. 계획표를 왜 만드는 것일까요?

두꺼비는 꽃씨를 위해서 시를 읽어 주고 음악을 들려 주고 이야기를 들려 줍니다. 새싹이 나온 것은 두꺼비의 이런 도움 때문이었을까요?

개구리는 두꺼비에게 하고 싶은데 애써서 안 하는 걸 의지력이라고 말해 줍니다. 나는 어떤 때 의지력을 발휘하나요?

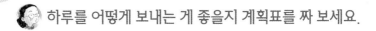

하루를 어떻게 보내는 게 좋을지 계획표를 짜 보세요.

제목 두꺼비야, 내 계획표 어때?

나는 맨 처음에 나오는 〈계획표〉가 가장 재미있었다. 계획표가 날아간 뒤 두꺼비가 해야 할 일을 잊어버리고 가만히 앉아 있을 때 바보처럼 느껴졌다. 그래도 개구리처럼 똑똑한 친구가 옆에 있어서 참 다행이다. 내가 두꺼비라면 그렇게 시시한 계획표는 짜지 않을 것 같다.

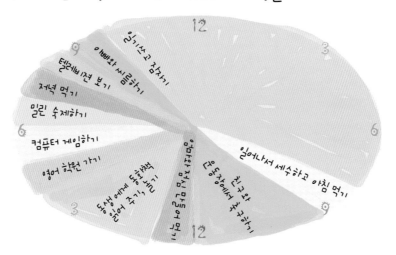

그런데 엄마가 내가 짠 생활 계획표를 보시더니 두꺼비랑 비슷하다고 하셨다. 내가 훨씬 더 잘 짰는데 엄마는 볼 줄 모르시는 것 같다.

《곤충들아 고마워!》
조영권 글, 황소걸음 펴냄
★
〈과학〉
3. 동물의 한살이(3-1)

같이 읽으면 좋은 책★
《난, 징글징글 벌레가 좋아》
이명호 글, 프로젝트 409 펴냄

곤충은 머리, 가슴, 배 세 마디로 되어 있고 다리는 여섯 개, 날개는 두 쌍, 더듬이 두 개와 겹눈 두 개, 홑눈 세 개가 있어요. 알-애벌레-번데기-어른벌레로 탈바꿈하며 자랍니다. 동물이나 일반 벌레들과 구별되는 이런 특징을 가진 곤충에 대한 모든 것이 소개된 책입니다.

주변에서 쉽게 볼 수 있는 곤충부터 멸종 위기 종까지 모두 400여 종의 곤충들을 800여 장의 사진과 재미있는 이야기로 소개하고 있어요. 사진만을 보는 것도 재미있지만 곤충을 관찰하면서 겪은 일들을 함께 써 놓았기 때문에 동화책을 읽는 것처럼 흥미롭습니다.

1장은 곤충의 특징, 2장은 곤충의 생활, 3장은 곤충 친구들에 대해 소개하고 있어요.

사람이 엄마 배 속에서의 열 달은 태아기, 출생 후 4주까지를 신생아기, 1살 까지를 영아기로 부릅니다. 의사소통이 가능해지는 유아기를 지나면 아동기, 신체와 정신이 함께 성숙해지는 청소년기를 지나면 성인기, 60세 이후를 노년기로 부르지요.

3학년 1학기 〈과학〉 '3. 동물의 한살이'에서는 사람의 성장 과정과 함께 새끼를 낳는 동물, 알을 낳는 동물들의 성장 과정을 통해 동물들의 한살이를 알아보는 단원입니다. 개구리와 배추흰나비를 관찰한 다음 직접 한살이를 정리해 보는 시간도 가집니다.

《곤충들아 고마워!》는 모든 곤충들, 벌레들이 주인공입니다. 곤충은 자연을 깨끗하게 해요. 똥을 먹어 치우고 식물을 먹고 소화시킨 후 땅의 영양분이 되도록 하지요. 암꽃과 수꽃을 오가며 과실을 맺게 해, 맛난 과일도 먹게 해 줍니다. 그래서 곤충을 지구의 청소부이자 농사꾼이라고 불러요.

곤충들은 100만 종이 넘는대요. 이 많은 곤충들 가운데 하나를 골라 생김새를 관찰하고 한살이를 정리하면서 읽어요.

장수풍뎅이는 긴 타원형으로 생겼다. 색깔은 약간 반짝이는 검정색 또는 갈색이다. 수컷만 뿔이 있고 암컷은 뿔이 없으며 암컷이 더 작다. 발에 날카로운 발톱이 있어서 나무를 잘 타고 오른다. 더듬이는 짧고 끝이 뭉툭하다. 장수풍뎅이는 알-애벌레-번데기-어른벌레가 된다.

다양한 생각과 함께 하는 독서록 ★★

내가 가장 좋아하는 곤충은 무엇인가요? 왜 좋아하나요?

이 세상에서 없어졌으면 하는 곤충과 오래도록 볼 수 있었으면 하는 곤충은 무엇인가요?

멸종이 가까운 곤충들도 많다고 합니다. 이런 곤충들을 지키려면 어떻게 해야 할까요?

문제를 만들어 보세요.

제목 **오래오래 같이 살자**

새롭게 알게 된 게 너무 많아서 문제로 만들어 보았다.

① 흙을 버무려 집을 짓는 벌은?

② 꼬리를 머리처럼 보여 살아 남는 나비는?

③ 나비는 다 꿀을 좋아하는데 이 나비는 꿀을 싫어한다. 어떤 나비일까?

④ 매미 중에서 가장 멋지게 노래할 줄 아는 매미는?

⑤ 곤충 세계의 코뿔소라고 불리는 곤충은?

⑥ 소를 너무 괴롭혀서 소가 제일 싫어하는 벌레는?

⑥ 쇠등에 ⑤ 장수풍뎅이 ④ 애매미
③ 부전나비 종류가 ② 뮤리나비가 ① 호박벌

《깜짝 과학이 이렇게 쉬웠어?
: 02. 빛과 색 편》
게리 베일리, 스티브 웨이 글, 주니어랜덤 펴냄
★
〈과학〉 4. 빛과 그림자(3-2)

같이 읽으면 좋은 책★★
《선생님도 놀란 초등과학 뒤집기 5, 빛》
정민경 글, 성우주니어 펴냄

빛이 무엇이고, 왜 낮과 밤이 나뉘는지, 그동안 사람들이 어떻게 빛을 이용해 왔는지를 알 수 있는 책이에요. 빛의 원리를 이용한 망원경과 카메라, 전구 등은 어떻게 만들어졌는지도 잘 설명해 놓았어요. 비가 온 뒤 하늘에 예쁘게 피어나는 무지개는 왜 생기는 것인지, 지금 우리는 낮인데 지구 반대편은 밤인 까닭도 알 수 있어요. 별과 달을 가까이서 보고 싶었던 뉴턴이 망원경을 만들게 된 이야기와 빛과 그림자를 이용해서 명암기법을 만들어 낸 레오나르도 다 빈치의 '모나리자' 이야기도 만날 수 있답니다.

태양이 지구에서 1억 5천만 킬로미터나 떨어져 있는데도 햇빛이 지구에 도착하는 데에는 8분이 조금 넘을 정도밖에 걸리지 않았다는 이야기를 보면 빛이 정말 빠르다는 것을 알 수 있죠.

이 책은 쉽게 과학에 접근할 수 있도록 재미있는 이야기와 함께 기본적인 과학 원리를 다루고 있습니다.

　3학년 2학기 〈과학〉 '4. 빛과 그림자'에서는 빛이 없으면 어떻게 될지 생각해 보고, 스스로 빛을 내는 것을 찾아봅니다. 그림자 관찰 실험을 통해 그림자가 생기는 까닭을 짚어 보지요. 또, 물체와 광원 사이가 가까워질 때 그림자의 크기가 커지고 물체와 광원 사이가 멀어질 때는 그림자의 크기가 작아진다는 사실을 실험을 통해 알아보는 단원입니다.

　빛이 없다면 아름다운 색도 없습니다. 빛이 있어서 내 모습도 보이고 그림자도 생기는 거지요. 《깜짝 과학이 이렇게 쉬웠어? : 02. 빛과 색 편》은 이런 것에서 출발합니다.

　 스스로 빛을 내는 것들을 찾아보고 이런 것들이 없어진다면 우리가 어떤 생활을 하고 있을지 생각하면서 읽어요.

　스스로 빛을 내는 것들을 광원이라고 불러요. 가장 큰 광원은 태양인데 만약 이 태양이 없어진다면 밝은 낮은 사라지고 매일 깜깜한 밤만 남게 되겠죠.

늘 우리 곁에 빛이 있으니까 그 소중함을 잊고 살았던 것 같아요. 빛은 우리에게 어떤 도움을 주는지 생각하면서 읽어요.

빛이 있어서 나무와 꽃들이 자랄 수 있어요. 태양광으로 전기도 만들 수 있어서 집을 따뜻하게 데우기도 하고, 자동차를 굴러가게 할 수도 있지요. 빛이 있어서 내 얼굴도 보이고 엄마 얼굴도 볼 수 있지요.

다양한 생각과 함께 하는 독서록 ★

전에는 몰랐는데 이 책을 보고 알게 된 것은 무엇인가요?

태양은 가장 낮은 표면 온도가 6천도 정도 된다고 해요. 만약 이렇게 빛을 내는 광원이 또 하나 있다면 지구는 어떻게 될까요?

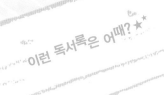

 작은 책으로 만들어 봐요.

빛이 없으면 색도 없구나!

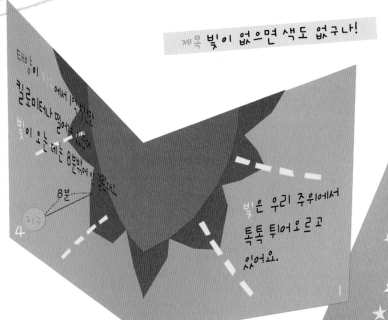

제목

태양이 에서 1억 5천만
킬로미터나 떨어져 있는데
빛이 오는 데는 8분밖에 안 걸린대요.

8분

4

빛은 우리 주위에서
톡톡 튀어오르고
있어요.

1

천문학자들이 스러진 듯한 별을 관찰했지만
그것이 빛난 별이 아니라
빛이 내는 빛이었어요.

3

태양은 너무 밝아서
맨눈으로 그냥 쳐다보면 큰일이 나요.

2

33

《나는 왜 초대하지 않아?》
다이애나 케인 블루선덜 글, 느림보 펴냄
★
〈국어〉 4. 마음을 주고받으며(2-2)

같이 읽으면 좋은 책★
《몰래 버린 실내화 한 짝》
황규섭 글, 문공사 펴냄

이 책은 혼자만 따돌려져서 섭섭한 마음을 느꼈을 때 읽으면 좋은 책입니다. 미니는 우연히 토요일에 찰스네 집에서 파티가 열린다는 사실을 알게 되었어요. 하지만 미니에게는 초대장도 오지 않았고 찰스가 파티에 대해 이야기조차 하지 않았어요. 혹시나 하고 기다리는 미니에게 찰스가 전화를 했지만 쌀벌레에 미니 이름을 붙여 줬다는 이야기만 하고 말지요. 미니는 다른 집에 초대장이 잘못 배달되었다든가 폭풍에 우체통이 날아가 버린 것이 아닐까 등등 별 상상을 다 합니다.

미니는 공부도 안 되고 웃음도 잃어버렸어요. 받아쓰기도 100점을 받았지만 하나도 즐겁지 않아요. 마침내 토요일이 되고 시무룩한 미니에게 캐서린이 발야구를 하자고 전화를 했답니다. 미니는 거길 가서도 파티에 모인 친구들이 무얼 하고 있을까 생각하느라고 발야구는 관심도 없어요. 그런데 찰스가 왔어요. 파티의 주인공은 찰스의 누나였던 거예요.

시는 하고 싶은 이야기를 간단하게 줄여 쓰기 때문에 다른 글을 읽을 때보다 글쓴이의 마음을 생각해 보는 것이 더 필요합니다. 그래야 어떤 내용인지 이해할 수가 있거든요. 인물의 생각과 그렇게 생각한 까닭을 알아보려면 내가 작품 속 인물의 마음이 되어 생각해 보는 것이 좋아요. 2학년 2학기 〈국어〉 '4. 마음을 주고받으며'에서는 시에 나타난 마음을 찾아보고 그런 마음이 드러나는 부분은 어디인지, 글쓴이가 왜 이런 글을 썼는지 헤아려 봅니다.

시는 아니지만 《나는 왜 초대하지 않아?》라는 책도 주인공 미니의 마음을 짐작해 보고 왜 그렇게 생각했는지를 찾아보면서 읽으면 훨씬 더 재미있답니다.

미니는 찰스가 초대하지 않았다고 속상해합니다. 어떤 부분에서 미니의 섭섭한 마음이 잘 나타나 있는지 생각하면서 읽어요.

이 책은 그림에서 나타난 미니의 표정만 가지고도 속상해 하는 걸 알 수 있어요. 첫 장부터 다시 읽으면서 미니 표정을 보세요. 그 다음엔 미니가 말하는 부분에서 찾아볼 수 있는데 이건 좀 어렵지만 차근차근 살펴보기로 해요. 우리도 속상할 때 하는 말들을 생각해 보면 알기 쉬워요.

🧑 미니는 왜 찰스가 토요일에 파티를 연다고 생각을 한 걸까요? 그렇게 생각한 이유를 찾아보면서 읽어요.

우연히 다른 친구가 찰스에게 토요일에 파티가 열리냐고 물어보는 걸 들었던 거예요. 잘 들었으면 좋으련만 그냥 파티가 열린다는 이야기만 듣고 찰스가 여는 파티라고 착각한 거죠.

다양한 생각과 함께 하는 독서록 ★*

🧑 내가 미니라면 나를 초대하지 않은 찰스에게 무슨 말을 해 주고 싶은가요?

🧑 파티를 열려면 초대장이 필요해요. 내 생일 초대장을 만들어 보세요.

38

초대장을 만들어 보세요.

제목 작은 음악회에 놀러 올래?

리코더와 멜로디언의

만남 멜로리

안녕하십니까? 멜로리 나라에 오신 걸을 환영합니다. 저희 멜로리 나라에서는 넌 할 수 있어를 리코더와 멜로디언으로 나눠어 연주하도록 하겠습니다. 재미 있게 봐주시면 감사하겠습니다.

-선생님과 친구들에게-

-멜로리 나라에서-

작은 음악회에 놀러 오세요.

39

《나무는 알고 있지》
정하섭 글, 보림 펴냄
★
〈슬기로운 생활〉
2. 봄이 왔어요(1-1)

같이 읽으면 좋은 책★
《나무에는 왜 잎이 있을까요?》
앤드류 체어맨 글, 다섯수레 펴냄

보지도 못하고 듣지도 못하고 냄새 맡지도 못하고 스스로 움직일 수도 없고, 그 자리에서 죽는 날까지 서 있어야 하는 나무. 그래도 계절의 변화를 먼저 알아내고 스스로 햇빛을 받아 양분을 만들고 땅속 깊이 내린 뿌리로 물을 빨아들여 줄기와 가지와 잎으로 보냅니다.

작은 벌레에서 큰 짐승까지 가리지 않고 먹을 것과 쉴 곳을 내어 주고 동물들에게 시달리면서도 동물들보다 오래 살지요.

나무는 꽃 속에 꿀을 마련해서 곤충들을 불러 열매를 맺게 하고, 향기로운 열매는 동물들이 먹고 씨앗을 퍼뜨리게 합니다. 겨울이 닥치기 전에 추위를 견딜 준비를 하느라고 미리 잎을 떼어 내게 되는데 이때 단풍이 드는 거예요. 낙엽은 이불처럼 땅을 덮어 뿌리가 얼지 않고 추운 겨울을 견딜 수 있게 해 줍니다.

나무가 숨을 쉬면서 만들어 내는 산소 덕분에 사람과 동물도 숨 쉬며 살 수 있어요. 나무는 스스로 살아가는 방법도 알고 다른 생명들과 더불어 사는 방법도 잘 알지요.

봄이 되면 눈이 녹기 시작하면서 파릇파릇한 새싹을 시작으로 꽃과 나무들을 만나게 되지요. 1학년 1학기 〈슬기로운 생활〉 '2. 봄이 왔어요'는 봄과 겨울의 다른 점을 구분해 보고 봄에 볼 수 있는 꽃이나 나무 이름을 알아보는 단원입니다. 관찰을 할 때에 새순을 따거나 밟지 않기, 위험한 장난을 하면 안 된다는 주의사항도 함께 배워요.

《나무는 알고 있지》는 우리 주위에서 흔히 볼 수 있는 나무에 대해 깊이 생각하게 해 주는 책입니다. 그 자리에 가만히 서서 아무 것도 안 하는 것처럼 보이는 나무가 어떤 일들을 할 수 있을지 궁금할 때 읽어 보면 좋아요. 나무나 풀이름을 알아보는 것도 재미있는 활동이지만 나무가 하는 일을 잘 알고 자연 관찰에 나선다면 훨씬 흥미로운 시간이 될 수 있답니다.

🙂 겨울과 봄, 나무가 어떻게 변하는지 생각하면서 읽어요.

한겨울에 나무는 잎을 다 떨어지고 가지도 회색에 가까워져요. 살아 있는 것처럼 보이지 않고 마치 플라스틱으로 만들어 놓은 것 같아요. 하지만 봄이 되면 새싹이 삐죽 올라오고 나무에도 초록색이 돌아오지요.

🙂 봄이 오면 꽃을 피우는 나무들이 많아요. 어떤 나무는 꽃을 먼저 피우고 어떤 나무는 새싹을 먼저 내기도 하지요. 봄에 볼 수 있는 꽃이나 나무는 무엇인지 생각하면서 읽어요.

이 책에서 생강나무, 벚나무가 꽃을 먼저 피운다는 것을 알았어요. 이 책에 나온 것 말고도 우리가 봄에 보는 꽃도 많아요. 개나리, 진달래, 할미꽃, 철쭉, 라일락 같은 것도 있답니다.

다양한 생각과 함께 하는 독서록 ★···

🙂 이렇게 많은 것을 할 줄 아는 나무에게 별명을 붙여 준다면 어떤 별명이 어울릴까요? 이유는?

🙂 내가 좋아하는 나무는 무엇인가요? 그 나무를 좋아하는 이유는 무엇 때문인가요?

이런 독서록은 어때?

가장 인상적인 부분을 찾아서 쓰고 느낌을 함께 적어 보세요.

제목 대단한 나무

나무가 그냥 서 있기만 하는 줄 알았는데 하는 일이 너무 많아서 놀랐다.
대단하다.
이렇게 할 줄 아는 게 많으니까 척척박사라고 부르고 싶다.
특히 탱자나무, 호랑가시나무처럼 가시를 내어 자기 몸을 지키고
은행나무와 소나무처럼 동물들이 싫어하는 냄새나 독을 내서
몸을 지킨다고 하는 부분이 멋있었다.
은행이 익어서 떨어지면 똥 냄새가 나는 게 그런 이유였다는 게 신기했다.

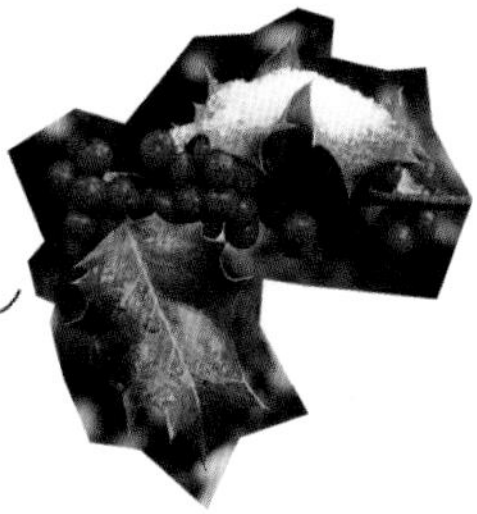

《내가 정말 좋아하는 건?》
베아트리스 퐁타넬 글, 큰북작은북 펴냄
★
〈바른 생활〉
2. 차례를 지켜요(1-2)

같이 읽으면 좋은 책★
《나쁜 말은 재밌어》
정란희 글, 스콜라 펴냄

구스타브는 싸움이라면 시시한 말싸움부터 막대 싸움, 일대일 싸움에서 단체 싸움까지 무조건 다 좋아해요. 적당한 싸움은 아이들에게 좋다고 생각하는 구스타브는 싸울 때도 규칙이 있어야 한다고 생각하지요. 상대방의 목을 조르면 안 되고 안경 쓴 친구를 때려도 안 되고, 이빨로 물거나 머리카락을 잡아당기는 것도 금지. 남자답게 정정당당히 싸워야 한다고 하죠. 구스타브는 단짝 친구 아데와 잡기 놀이를 하다가 확 밀치는 바람에 아데 이마에 주먹만 한 혹이 생겨 엄마와 함께 교장실로 불려갔어요. 교장 선생님은 구스타브를 태권도장에 보내라고 하셨어요. 태권도는 좋았지만 멋지게 공격을 해도 언제나 쓰러지기만 했어요. 구스타브는 아직도 싸움을 좋아하지만 달리기를 시작했어요. 얼굴은 붉게 달아오르고 심장은 쿵쾅거리지만 행복했어요. 또 하나 구스타브가 좋아하는 건 아빠가 밤중에 불을 꺼 주려고 방에 들어와 머리를 쓰다듬고 이마에 뽀뽀를 해주는 거랍니다.

어떻게 행동해야 옳은 것인지를 판단하는 건 쉽지 않은 일입니다. 이제 막 규칙을 배우기 시작한 1학년들에게는 더욱 어려운 일이지요. 유치원에서 처음 사회생활이라는 것을 해 보았지만 그보다 더 많은 친구들, 선생님들과 함께 하는 학교생활에 익숙해지려면 규칙을 이해하고 지키는 것이 꼭 필요합니다.

1학년 2학기 〈바른 생활〉 '2. 차례를 지켜요'에서는 차례를 지키면 좋은 점을 알아보고 학교에서나 탈 것을 이용할 때, 공공장소에서 차례를 지키는 방법에 대해 배우는 단원이에요.

《내가 정말 좋아하는 건?》에 나오는 구스타브를 보면서 어떤 행동이 옳고 그른지를 스스로 판단해 보는 것도 좋은 공부가 될 거예요.

구스타브가 싸울 때 규칙을 만든 것처럼 우리가 차례를 지키는 규칙을 만든다면 어떨 때 필요할지 생각하면서 읽어요.

여러 사람들이 함께 생활하는 학교에서는 내가 하고 싶은 대로 행동하면 다른 친구들이 불편할 수 있어요. 화장실에 가서도 줄을 서서 차례대로 기다리는 규칙을 만들면 서로 먼저 들어가려고 싸우지 않아도 되고 더 빨리 볼 일을 볼 수 있어요. 버스에 탈 때도 차례대로 줄을 서서 타면 먼저 타려고 밀다가 넘어져서 다치는 사람도 없을 거예요.

구스타브는 싸우는 습관을 버리기 위해서 달리기를 시작했어요. 이 방법 말고 다른 방법을 추천해 준다면 어떤 것이 좋을까요?

내가 가진 나쁜 습관은 무엇이 있나요? 그 나쁜 습관을 어떤 방법으로 고치면 좋을까요?

내 성격과 주인공의 성격을 비교하면서 써 보세요.

제목 **이젠 싸우지 마**

구스타브는 정말 싸우는 걸 좋아한다. 활발하고 친구들과 잘 어울려

노는 것 같다. 하지만 나는 친구와 싸우는 아이들이 제일 싫다.

구스타브가 내 친구라면 같이 안 놀았을 것이다.

그래도 나중에 구스타브가 달리기를 시작하면서 싸움을 덜 해서 다행이다.

나는 조용하고 얌전한 편이다. 다른 친구들은 나한테 소곤이라고 부른다.

말소리가 작아서 소곤거리는 것 같다는 뜻이다.

달리기를 하면 진짜 마음이 후련해질까?

구스타브가 좋다고 한 걸 보면 재미있을 것 같다.

나도 한번 달려 봐야겠다.

달리기, 축구, 맘껏 종이 자르기,
문구점에서 실컷 구경하기.
어느 것이 내가 제일
좋아하는 거지?

51

《놀다보면 수학을 발견해요》
재니스 반클리브 글, 미래M&B 펴냄
★
〈수학〉 1. 100까지의 수(1-2)

같이 읽으면 좋은 책★
《핀란드 초등학생이 배우는 재미있는 덧셈과 뺄셈》
리카 파카라 지음, 담푸스 펴냄

어린이들이 부모님과 함께 할 수 있는 가장 쉬운 실험 50가지가 들어 있어요. 재미있게 실험을 하면서 개수 세기, 수, 시간, 도형, 규칙이 있는 모양(패턴), 재기, 양 등의 개념을 자연스럽게 알게 해 준답니다.

개수 세기에서는 꽃잎의 개수를 세어 보기, 달걀판에는 달걀이 몇 개가 들어가는지 알아보는 실험이 나와요. 시계를 보면서 5초가 얼마나 길지, 달력을 보면서 한 달은 며칠인지를 알아보는 실험으로는 시간에 대해 공부할 수 있지요. 도형 부분에서는 구멍 두 개로 동그라미를 어떻게 그릴 수 있는지, 세모 모양 깃발을 만드는 방법, 하트를 만들기 등을 해 볼 수 있답니다.

반복되는 무늬를 이용해 눈송이를 만들어 보면서 규칙을 이해할 수 있어요. 키를 재는 것, 키를 잰 종이를 이용해서 100이 넘는 숫자를 더하는 것, 발길이로 잴 수 있는 실험, 종이컵과 동전을 이용해서 무게를 재는 실험도 있답니다.

수학에서 가장 중요한 것은 무엇인가를 셀 줄 아는 것이라고 합니다. 1학년 2학기 〈수학〉 '1. 100까지의 수'에서는 60, 70, 80, 90 알기와 99까지의 수를 세 보고 수의 크기를 비교하는 것, 규칙을 찾는 것을 배웁니다. 10개씩 묶어서 십 단위로 세고 나머지가 몇 개인가에 따라 수를 말할 수 있다면 100이 넘는 숫자를 세는 것도 그리 어렵지 않지요.

1을 하나, 일 2는 이, 둘 3은 셋, 삼 4는 넷, 사 5는 다섯, 오 6은 육, 여섯 7은 칠, 일곱 8은 팔, 여덟 9는 구, 아홉 10은 십, 열로 읽을 수 있다는 것을 활용해서 100까지의 수도 이런 식으로 읽는 연습을 해 보기도 하지요.

《놀다보면 수학을 발견해요》는 다양한 실험을 통해 수학에 쉽게 접근할 수 있는 책입니다.

🧑 실험하는 방법을 그대로 따라 하면서 읽어요.

실험을 하지 않고 눈으로만 본다면 이 책은 지루할 수도 있어요. 쉽게 준비할 수 있는 준비물들로 실험은 꼭 해 보는 것이 개

수 세기, 수, 시간, 도형, 규칙이 있는 모양(패턴), 재기, 양 등의 개념을 배우는 데 도움이 된답니다.

하루에 한 가지씩 실험을 하고 결과도 적으면서 읽어요.

한꺼번에 모든 실험을 다 해 보는 것보다는 실험에 필요한 재료를 스스로 준비하고 실험 방법과 결과를 정리해 적어 보면 오래도록 기억에 남을 수 있을 거예요.

다양한 생각과 함께 하는 독서록 ★*

어떤 실험을 했을 때 가장 재미있었나요? 그 실험을 할 때 무슨 생각이 들었나요?

해 보고 싶었지만 너무 복잡해서 못 해 본 실험은 무엇인가요? 왜 그 실험이 하고 싶었나요?

실험하면서 느낀 점을 써 보세요.

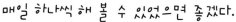
제목 하루에 한 개씩 했으면

동생이랑 엄마와 실험을 해 보았다.

내 동생 민영이는 특히 꽃을 좋아해서 꽃잎으로 수를 셀 때 제일

좋아했다. 내가 보기엔 시시한 건데 뭐가 그렇게 좋다는 건지 모르겠다.

그래도 동생이 찡찡거리지 않고 재미있어 하니까 내가 참았다.

나는 달걀판에 있는 달걀의 수를 세는 게 더 재미있었다.

10까지 세는 건 아주 쉬웠다. 달걀을 다 꺼내 놓고 거기다

수를 써 넣으니까 가게 놀이를 하는 것 같아서 더 재미있었다.

엄마랑 달걀을 사고파는 놀이까지 했다.

나는 여러 실험을 빨리빨리 해 보고 싶은데, 엄마가 바빠서 일주일에

하나씩밖에 못 한다. 그래서 아직 실험을 다 해보진 못했는데

'발길이로 재는 실험'은 빨리 해 보고 싶다. 엄마가 바쁘지 않아서,

매일 하나씩 해 볼 수 있었으면 좋겠다.

《마녀 백과사전》
말콤 버드 글, 청어람아이들 펴냄
★
〈국어〉
1. 느낌을 나누어요(2-2)

같이 읽으면 좋은 책★☆
《세 갈래 길》
루이 트롱댕 글, 아이세움 펴냄

뾰족한 모자를 쓰고 빗자루를 타고 다니는 마녀들은 언제나 호기심의 대상이 됩니다. 동화에 등장하는 마녀들은 대부분 나쁜 이미지를 가지고 있어서 그런지 으스스한 느낌을 주곤 하지요. 그런 마녀들은 어디에서 사는지, 마녀들이 살고 싶은 집은 어떻게 생겼는지, 지렁이 수프와 독약파이는 어떻게 만드는지 궁금하지 않나요?

이 책은 마녀에 관한 모든 정보가 들어 있는 책입니다. 만화 형식으로 되어 있어서 그림도 재미있어요. 마녀의 집, 부엌, 정원, 점 보는 방법, 마법 주문, 마녀들이 싫어하는 미신, 화장하는 방법들도 소개되어 있답니다.

뜨개질로 마녀 모자 만드는 방법, 마녀 장갑 만드는 방법, 마녀 주머니 만드는 방법, 쿠션과 빗자루 만드는 방법도 소개되어 있어서 만들어 보는 재미도 있어요.

2학년 2학기 〈국어〉 '1. 느낌을 나누어요'에서는 시에서 재미있는 말을 찾고 말의 느낌을 살려서 읽는 것과 이야기를 읽으면서 인물의 마음이나 기분을 생각하는 것을 배워요.

'지금 이 주인공의 마음이 어떨까? 어떤 기분이 들까?'를 생각하면서 읽으면 이야기에 푹 빠지게 되니까 더 재미있게 읽을 수 있지요. 또, 그 인물의 기분이 쉽게 가슴에 와 닿으니까 지은이의 생각을 이해하는 것도 어렵지 않아요.

《마녀 백과사전》은 줄거리가 있는 이야기는 아니지만 열한 개 부분으로 나누어 마녀에 대한 모든 것을 다루고 있기 때문에 훨씬 많은 것을 생각할 수 있어요.

마녀들이 사는 집을 구경하고 마녀들이 가꾸는 정원을 꼼꼼하게 살피면서 이런 집에서 사는 마녀들은 어떤 마음이 들지 생각하면서 읽어요.

마녀들은 온통 거미줄투성이에 지저분하고 냄새나는 집에서 살아요. 여기저기 썩은 물건들과 곰팡이가 가득하지요. 마녀처럼 보이려니까 어쩔 수 없이 그런 집에 사는 건 아닐까요?

🙂 마녀에 대해 어떻게 생각하기를 바라는지 찾으면서 읽어요.

요즘은 돈을 주고 마법을 부탁하는 사람들이 없기 때문에 마녀들은 직업을 갖고 싶어 한대요. 비행기 승무원, 체조 강사, 114 안내원 등 친절한 사람들은 할 일이 많아요. 그렇지만 마녀들은 남을 무시하거나, 어린이를 미워하거나, 욕심이 많거나, 비열하고 권력에 대한 욕망이 크고, 남의 일을 캐는 능력은 좋지만 고집불통이라 가질 수 없는 직업들이래요. 결국 마녀란 특별한 사람이 아니라 이런 나쁜 성격을 가진 모두가 마녀가 될 수 있으니 조심하라는 뜻이 아닐까요?

다양한 생각과 함께 하는 독서록 ★★

🙂 세계 각국의 마녀들을 소개했는데 우리나라 마녀는 빠져있어요. 왜 그런 걸까요?

🙂 마녀들의 생활 중에 꼭 따라 해 보고 싶은 것은 무엇인가요? 해 보고 싶은 이유는 무엇인가요?

 육행시를 지어 보세요.

제목 **마녀는 으스스해**

마 마녀백과사전에는

녀 녀(여)자들이 많이 나와요.

백 백 명도 넘는 것 같은데

과 과자를 특히 좋아한답니다.

사 사기꾼처럼 보이지만

전 전 마녀들이 불쌍해요.

《바다의 노래》
하이타니 겐지로 글, 논장 펴냄
★
〈사회〉
2. 고장의 자랑(3-1)

같이 읽으면 좋은 책★★
《지도로 배우는 우리나라 우리고장 – 서울 · 경기》
정명숙 · 양대승 글, 주니어랜덤 펴냄

겐타는 바닷가에서 고기 잡는 일을 하시는 아버지와 둘이 살지요. 겐타는 어부가 되겠다는 생각으로 아버지와 함께 배를 타고 고기를 잡기도 해요. 하지만 고기는 잘 잡히지 않고 쓰레기만 걸리는 날이 많아서 마을 사람들 모두 걱정을 합니다. 바다에는 서로 자기 구역이 정해져 있어서 다른 구역을 침범하면 벌금도 내야 하니까 어부의 생활은 훨씬 더 힘이 들어요.

그때 노리코 선생님이 자유 시간에 어업에 대한 공부를 하자고 제안을 하셨어요. 어부의 아들인 겐타와 도루, 미쓰요, 요시마사, 그리고 활발한 가나코는 외줄낚시를 하는 마사키 아저씨와 함께 마을의 어업조사를 하면서 더욱 친해졌어요. 겐타가 아버지와 고기를 잡으러 갔다가 다른 구역에 침입했다고 싸움이 일어나 다치지만 요시마사가 나서서 어른들에게 고기 잡는 일을 하면서 서로 싸우지 않겠다는 다짐을 받아냅니다. 반 아이들은 모두들 힘을 합해서 왜 물고기가 줄어들었는지, 누가 바다를 더럽히는지를 조사하고 어른들 앞에서 당당하게 발표를 한다는 이야기입니다.

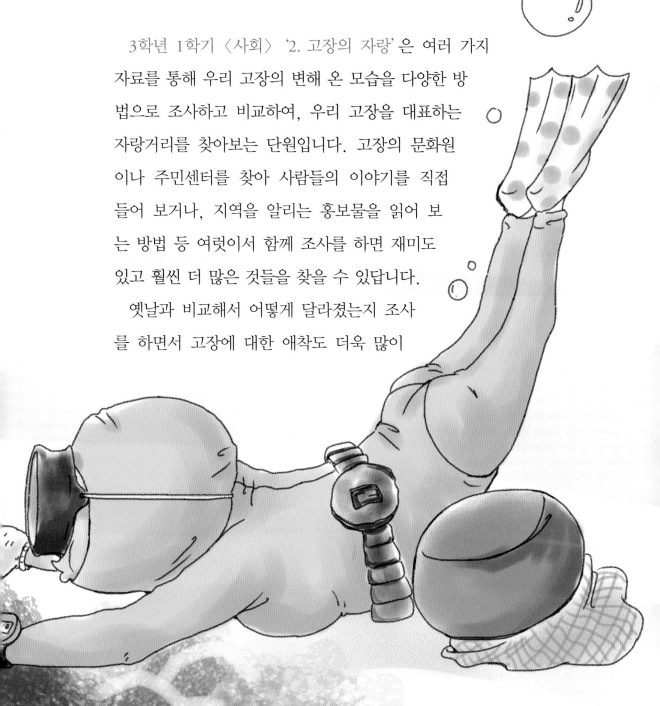

　3학년 1학기 〈사회〉 '2. 고장의 자랑'은 여러 가지
자료를 통해 우리 고장의 변해 온 모습을 다양한 방
법으로 조사하고 비교하여, 우리 고장을 대표하는
자랑거리를 찾아보는 단원입니다. 고장의 문화원
이나 주민센터를 찾아 사람들의 이야기를 직접
들어 보거나, 지역을 알리는 홍보물을 읽어 보
는 방법 등 여럿이서 함께 조사를 하면 재미도
있고 훨씬 더 많은 것들을 찾을 수 있답니다.
　옛날과 비교해서 어떻게 달라졌는지 조사
를 하면서 고장에 대한 애착도 더욱 많이

생겨날 거예요. 《바다의 노래》에서 겐타와 친구들도 고장에 대해 조사를 하면서 마을을 더 좋아하게 되었거든요.

🧑 어업에 대해 조사하면서 알게 된 것들을 정리하면서 읽어요.

양식어업은 물고기가 줄어드는 문제를 해결하기 위해 생각해 낸 것인데 바다가 더러워져서 물고기가 죽어 버리는 경우가 많대요. 또, 간척 공사 때문에 어장이 줄어들기도 하고요.

🧑 고장의 자랑거리는 무엇인지 생각하면서 읽어요.

아름다운 저녁놀과 싱싱한 생선들, 그리고 서로 존중하는 마을 사람들 모두가 자랑거리죠.

다양한 생각과 함께 하는 독서록 ★*

🧑 아이들이 조사를 마친 뒤 가나코는 전학을 가게 되었을까요?

🧑 내가 사는 우리 고장의 특징은 어떤 것이 있을까요?

등장인물들과 인터뷰를 해 보세요.

제목 **겐타야, 멋지다**

저는 지금 겐타가 사는 바닷가 마을에 와 있습니다.
안녕하세요? 겐타 군, 저는 한국에서 온 기자입니다.

네, 안녕하세요. 반갑습니다.

겐타 군이 어린 나이에도 어부가 되겠다고 다짐하는 게
참 멋있던군요. 왜 어부가 되고 싶은가요?

저는 바다가 좋습니다. 그리고 아버지처럼 정직하게 일하는 게
멋있다고 생각했습니다.

아, 그렇군요. 가나코는 그 이후에 전학을 가게 되는 건가요?
뒤에 이야기가 없어서 굉장히 궁금했습니다.

아니에요. 가나코는 노리코 선생님과 함께 지내면서 열심히 공부
하고 있어요. 저랑 가끔 바다에서 낚시도 하고 즐겁게 지냅니다.

자기가 사는 곳을 사랑하는 게 보기 좋았어요. 나중에 멋진 어부가
되시기 바랍니다.

69

《복슬개와 할머니와
도둑고양이》
제니 와그너 글, 느림보 펴냄
★
〈국어〉
7. 상상의 날개를 펴고(1-2)

같이 읽으면 좋은 책★
《낙타는 원숭이가 아니란다》
이솝 글, 노란상상 펴냄

오래전에 남편을 잃은 로즈 할머니는 복슬개 존 브라운과 서로 의지하면서 살고 있어요. 어느 날 밤 까만 고양이가 정원에 나타났답니다. 할머니는 고양이가 마음에 들어 함께 살고 싶어 했어요. 하지만 존 브라운은 심술이 나서 할머니가 고양이에게 몰래 주는 우유를 엎어 버리기까지 했답니다.

아침밥을 기다리던 존 브라운은 할머니가 안 나오시니까 침실로 들어갔어요. 할머니는 몸이 안 좋아서 하루 종일 누워계시겠다고 말씀하셨어요. 존 브라운은 할머니 실내화를 꼭 붙들고 곰곰이 생각에 빠집니다. 그러다가 저녁 무렵 할머니께 고양이를 데려오면 나을 것 같냐고 물어봤어요. 할머니가 기쁘게 대답하자 존 브라운은 부엌문을 열어 주고 고양이를 들어오게 했지요. 로즈 할머니는 자리를 털고 일어나 벽난로 앞에 앉으시고 고양이는 소파 위에 올라앉아 가르랑거렸답니다.

1학년 2학기 〈국어〉 '7. 상상의 날개를 펴고'는 시를 읽고 떠오르는 장면을 이야기하거나, 이야기를 읽고 재미있는 내용을 여러 가지로 상상해서 표현해 보는 단원입니다. 그림이나 몸짓으로 나타내 보기도 하지요.

《복슬개와 할머니와 도둑고양이》는 복슬개 존 브라운이 로즈 할머니의 사랑을 빼앗길까 봐 두려워서 검은 고양이를 받아들이려 하지 않아 생기는 작은 사건을 그린 그림책입니다.

이야기에 나오는 인물을 상상하는 좋은 방법은 내 경험을 떠올려 보는 것입니다. 존 브라운이 검은 고양이를 집 안으로 들어오지 못하게 했던 것처럼 나도 부모님이나 선생님에게 관심을 더 받고 싶어서 비슷한 행동을 한 적은 없는지 생각하면서 읽어요.

동생이 태어나면 아무래도 부모님 사랑을 빼앗긴 것만 같아 불안해집니다. 그래서 동생이 앉기 전에 부모님 옆에 얼른 앉지는 않았나요? 먹기 싫은 것도 동생에게 지기 싫어서 더 먹겠다고 한 적은 없었나요?

존 브라운이 고양이에게 "우린 너 필요 없어. 할머니랑 나는 둘이서 잘 지내고 있단 말야."라고 했을 때와 나중에 존 브라운이 부엌문을 열어 주었을 때 고양이는 어떤 말을 했을지 상상하면서 읽어요.

말이 없는 걸 보니까 조금 도도하게 "얘, 나도 너 없이 잘 지내고 있어."라고 말했을 것 같아요. 집에 들어왔을 때 소파에 냉큼 올라앉아 가르랑거리는 것 좀 보세요. "그것 봐. 할머니는 나를 좋아하신다니까!" 이렇게 말하지 않았을까요?

다양한 생각과 함께 하는 독서록 ★★

존 브라운이 할머니 실내화를 붙들고 곰곰이 생각에 빠졌을 때 과연 무슨 생각들을 했을까요?

할머니는 왜 존 브라운한테 고양이를 데려오고 싶다고 솔직하게 말하지 못했을까요?

상장을 만들어 보세요.

제목 **나도 이해해**

꾹 참은 상

받을 동물: 복슬개 존 브라운

복슬개는 도둑 고양이가 너무 싫었지만
사랑하는 할머니를 위해서 싫은 걸 꾹 참은 게 대견합니다.
나도 싫은 아이랑 함께 노는 걸 해 봐서 압니다.
그래서 이 상장과 메달 줍니다.

꾹 참기 챔피언 줌

상

《사물놀이》
김동원 구음/감수, 길벗어린이 펴냄
★
〈즐거운 생활〉
6. 여름이 오면(2-1)

같이 읽으면 좋은 책★
《국악의 모든 것》
진회숙 글, 주니어김영사 펴냄

© 그림 조혜란, 구음·감수 김동원, 《사물놀이》, 길벗어린이

이 책은 음악을 그림으로 표현하고 들리는 소리 그 대로를 적어 놓았어요. 징, 북, 장고, 꽹과리 이 네 악기가 어떻게 생겼고 어떤 소리를 내는지, 그것들이 다 어우러지면 어떤 느낌으로 다가오는지를 아주 잘 보여 주는 책이지요.

징이 '징징징 징징징' 하고 울리면, 장고는 '덩 덩 덩 따궁딱 더궁 덩 덩 따궁딱' 하고 소리를 맞추고, 꽹과리가 '갱 개갱 개갱 개개갱 개갱 갱 개갱 개개갱' 소리 높이 울리면, 북은 '둥 둥 둥 둥 두둥 둥 둥둥' 편안하게 맞춰 줍니다.

그림이 아주 섬세해서 내 눈 앞에서 사물놀이 한 마당이 펼쳐진 듯 실감이 나는데 적힌 소리들을 큰 글씨는 크게 작게 표시된 글씨들은 작게 따라 읽다 보면 '아하, 이런 소리들이겠구나.' 하고 저절로 감탄을 하게 됩니다.

책 뒤에는 사물놀이에 대한 설명과 판굿, 웃다리 풍물 등을 담은 CD가 함께 들어있어서 틀어 놓고 책을 따라가며 읽어 보는 것도 또 하나의 재미가 되지요.

쩅쩅 내리쬐는 뜨거운 햇볕, 간혹 불어 주는 시원한 바람, 갑자기 쏟아지는 소나기, 비 내린 뒤의 시원함, 비 오기 전 후텁지근한 날씨 등 여름이라고 더운 날씨만 계속되지는 않아요. 2학년 1학기 〈즐거운 생활〉 '6. 여름이 오면'에서는 여름 날씨와 관련된 소리를 악기로 나타내 봅니다. 여름에 경험한 일들을 떠올려 보면서 소리로 표현하고 그림으로 그려 보기도 하는 단원이지요.

사물놀이는 북, 징, 장고, 꽹과리 등 네 가지 악기를 가지고 연주되는 음악과 그 놀이를 가리키는 말입니다. 원래는 절에서 불교의식 때 쓰인 법고, 운판, 목어, 범종 네 가지를 가리키는 말이었다가 북, 징, 목탁, 태평소로 바뀌었고 지금은 다시 북, 징, 장고, 꽹과리로 바뀐 거라고 해요.

징, 북, 장고, 꽹과리 중에 오늘 날씨와 어울리는 소리를 내는 악기는 무엇일지 생각하면서 읽어요.

오늘은 아주 맑고 구름 하나 없는 날씨군요. 이런 날씨에는

'덩 덩 따따닥' 이렇게 장고를 치면 마음까지 장단에 맞춰 개운해질 것 같아요.

사물놀이에 쓰인 네 가지 악기가 어떤 소리를 내는지는 이미 책에 적혀 있어요. 이번에는 거꾸로 이 소리들을 듣고 그림으로 표현하면 어떤 그림들이 될 수 있을지 생각하면서 읽어요.

징은 조금 점잖은 소리를 내잖아요. 꽹과리처럼 빠르게 치지 않으니까 느릿느릿한 곰 발걸음이 생각나요. 숲속을 천천히 걸으면서 먹을 것을 찾는 곰이 어울릴 것 같은데 여러분은 어떤 모습이 떠오르나요?

다양한 생각과 함께 하는 독서록 ★★

네 가지 악기 이외에 다른 악기를 넣어 함께 연주한다면 어떤 악기가 어울릴 것 같나요?

가장 연주해 보고 싶은 악기는 무엇인가요? 왜 그런가요?

🧑 마인드 맵으로 그려 보세요.

제목 소리 없는 사물놀이

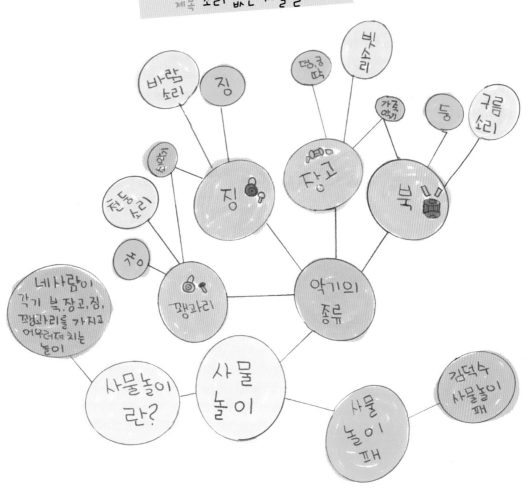

《세상에서
제일 힘센 수탉》
이호백 글, 재미마주 펴냄
★
〈국어〉
3. 생각을 나타내요(2-2)

같이 읽으면 좋은 책 ★
《내 마음대로 할 거야!》
마띠유 드 로비에 외 지음, 푸른숲주니어 펴냄

어느 화창한 봄날 아주 튼튼해 뵈는 수평아리 한 마리가 태어났어요. 달리기도 높이뛰기도 이 병아리를 따를 병아리가 없었지요. 이제 병아리는 동네에서 제일 힘센 수탉이 되었습니다. 젊은 암탉들도 이 수탉 뒤를 졸졸 따라 다녔어요.

어느 날 세상에서 제일 힘센 수탉보다 더 힘이 센 수탉이 동네에 나타나고 그 뒤 수탉은 동네에서 술을 제일 잘 마시는 수탉이 되었지요. 세월이 흘러 수탉이 절망에 빠져 있을 때 수탉의 아내가 건강하게 자라는 손자, 손녀들과 힘이 센 아들들, 알을 많이 낳는 딸들을 보여 주며 아직도 세상에서 제일 힘센 수탉이라고 말해 줍니다.

2학년 2학기 〈국어〉 '3. 생각을 나타내요'에서는 이야기를 읽으면서 등장인물이 되어 등장인물의 생각과 그렇게 생각한 까닭을 찾아보는 것을 배워요. 또, 충고하는 말은 언제 하는지를 알아보고 충고하는 말을 하는 방법과 충고하는 말을 들었을 때 대답하는 방법에 대해서도 공부하는 단원이에요. 충고는 남의 잘못을 진심으로 일깨워 주는 말이라는 뜻이에요.

《세상에서 제일 힘센 수탉》은 알에서 깨어나 노란 털을 가진 병아리로, 다시 붉은 볏과 꼬리 깃털이 화려한 수탉이 되고 자손들이 번창하게 되기까지 과정을 그립니다. 그러는 동안 등장인물이 어떤 생각을 하게 되고, 그 생각을 어떻게 행동으로 옮기는지를 잘 보여 주는 책이지요.

👧 주인공 수탉이 세상에서 제일 힘센 수탉이 되었을 때와 더 힘이 센 수탉이 나타났을 때 기분이 어땠을지 생각하면서 읽어요.

우리 반에서 내가 제일 달리기를 잘 한다든가, 노래를 잘 한다면 굉장히 뿌듯한 마음이 들겠죠? 수탉도 마찬가지일 거예요.

세상에서 제일 힘센 수탉이 되었을 때는 자신이 중요하게 느껴지고 멋지다고 생각하겠지만 자기보다 더 힘센 수탉이 나타났을 때는 갑자기 초라하게 느껴지고 슬펐을 것 같아요.

👧 수탉 아내가 어떻게 충고를 하는지 찾으면서 읽어요.

수탉의 아들, 딸과 손자들을 보여 주면서 여전히 힘센 수탉이라는 걸 일깨워 주는 거죠. 그 뒤로 수탉은 자기가 잘못 생각했다는 걸 깨닫고 다시 행복하게 살아갑니다. '이렇게 하세요, 저렇게 하세요'라는 충고는 아니었지만 수탉에게는 어떤 말보다 멋진 충고가 된 셈이에요.

다양한 생각과 함께 하는 독서록 ★

👦 주인공 수탉은 왜 세상에서 제일 힘센 수탉이 되려고 했을까요?

👦 힘이 없어지고 늙은 수탉에게 아내가 세상에서 제일 힘센 수탉이라고 한 까닭은 무엇일까요?

👩 가장 마음에 드는 장면을 그리고 내 생각을 쓰세요.

제목 **영원히 힘센 수탉**

수탉이 젊었을 때는 힘이 센 게 당연하다.
하지만 이렇게 늙었어도 아들과 딸, 손자들이 건강하게 지내는 걸
보면서 세상에서 제일 힘센 수탉이라고 생각하는 게 나도 좋았다.
"수탉 할아버지, 이제 술은 많이 드시지 마세요."

87

《솔이의 추석이야기》
이억배 글·그림, 길벗어린이 펴냄
★
〈슬기로운 생활〉
3. 함께하는 한가위(1-2)

같이 읽으면 좋은 책★
《더도 말고 덜도 말고 한가위만 같아라》
김평 글, 책읽는곰 펴냄

두 밤만 지나면 추석이에요. 동네 사람들 모두 고향 갈 준비로 바쁩니다. 솔이네 식구들은 아침 일찍 집을 나섰지만 버스 터미널은 이미 많은 사람들로 꽉 차 있어요. 도로에도 복잡해서 차가 움직이질 않습니다. 사람들은 차에서 내려 음식을 먹기도 하고 허리 운동을 하기도 해요. 드디어 시골에 도착했어요. 온 가족이 모여 이야기도 하고 음식 준비로 바빠요. 저녁에는 둥그런 보름달을 보면서 송편을 빚습니다. 추석 날 아침 일찍 일어나 정성껏 차례를 지내고 나면 꼬불꼬불 산길을 따라 성묘를 갑니다. 마을에서는 어느새 풍물마당이 섰어요. 어깨춤이 덩실덩실 신나는 놀이판이 벌어졌지요. 집에 가는 날 할머니는 새벽같이 일어나 먹거리를 한 보따리 싸 주셨어요. 한밤중이 되어야 집에 돌아온 솔이는 할머니 꿈을 꿉니다.

음식을 준비하고 차례 때 쓸 병풍이나 제기를 손질하는 모습, 떡을 하기 위해 집을 나서는 모습, 달밤에 송편을 빚으며 소원을 비는 풍경, 차례상, 성묫길 그림을 잘 살펴보기만 해도 추석이 어떤 날이라는 것을 알 수 있게 만든 책입니다.

추석은 설날과 더불어 우리나라 최대 명절입니다. 오래 보지 못한 친척들도 만나고 햇곡식과 햇과일로 정성껏 차례도 지내는 날이에요. 1학년 2학기 〈슬기로운 생활〉 '3. 함께 하는 한가위'는 추석에 관해 알아보는 부분인데 한가위는 추석을 다르게 부르는 말이에요.

《솔이의 추석 이야기》는 솔이가 할머니 댁에 추석을 쇠러 가서 집으로 돌아올 때까지의 과정을 담고 있습니다. 이 책은 특히 그림 속에 나타난 사람들의 표정과 행동을 잘 봐야 해요. 추석 전날에는 미용실에서 머리를 다듬는 사람도 있고, 목욕탕에서 몸을 깨끗하게 하는 사람, 선물을 양손 가득 사 들고 가는 사람들을 보여 주면서 설레는 마음을 잘 나타내고 있어요.

각 장면마다 사람들의 표정을 보면서 어떤 생각을 하고 있을지를 떠올리며 읽어요.

도로가 꽉 막혀 버스가 서 있을 때 내린 사람들은 여러 가지 일을 하고 있잖아요. 이 사람들은 지금 마음속으로 무슨 생각을 하고 있을까요? 성격이 급해 보이는 아저씨는 '어제 출발할 걸 그랬나?' 하는 생각을 할 것 같고, 버스에서 오징어 장수를 보고 있는 남자아이는 '저 오징어 맛있겠다. 엄마한테 사달라고 할까?'라는 생각을 할 것 같은데 여러분은 어떤가요?

👩 추석날 솔이네 가족들이 하는 일을 잘 보고 우리 집과 다른 점은 없는지 비교하며 읽어요.

어떤 집에서는 솔이네처럼 추석날 차례를 지내는 게 아니라 모두 모여 기도를 하기도 해요. 차례상에 올리는 음식도 지방마다 달라서 생선 종류만 5가지가 넘게 올리는 집도 있대요.

다양한 생각과 함께 하는 독서록 ★

👦 추석 때 하고 싶은 일들과 이유를 생각해 보세요.

👦 추석이 되어도 우리 집에서는 하지 않지만 꼭 해 보고 싶은 것은 무엇인가요?

주인공에게 편지를 써요.

제목 먹을 게 많아서 좋아

솔이야, 반가워. 나는 지민이라고 해. 네가 입은 한복이 나랑 똑같아서
깜짝 놀랐어. 우리 엄마는 내가 그 한복 입었을 때가 제일 예쁘다고 하셔.
너도 예쁘다. 너는 추석에 버스를 타고 갔구나?
나는 우리 아빠 차를 타는데 우리 아빠는 운전도 잘 하셔.
그렇지만 너처럼 할머니 댁이 시골이 아니라서 조금 섭섭해.
서울에 사시거든.
우리도 이번 추석에는 집에서 송편 만들어 먹자고 해야겠어.
먹을 사람 없다고 시장에서
조금 사 오시는데 너희 가족이
함께 송편 만드는 걸 보니까
부럽더라.
다음 추석 때 또 만나.
그때까지 잘 지내.

93

《수학 천재》
베시 더피 글, 크레용하우스 펴냄
★
〈수학〉
1. 10000까지의 수(3-1)

같이 읽으면 좋은 책★
《수학 잘 하는 초등학생들의 77가지 비법》
김수경 글, 계림 펴냄

전학 온 지 2주째 되는 초등학교 3학년 마티는 수학 천재에요. 네 살 때 젖먹이 동생 테드와 처음 빼기 문제를 풀었어요. '아기 – 젖병 = 와아아앙!' 이렇게 모든 것을 수학 문제처럼 생각하기를 좋아했지요. 수학은 좋지만 체육이 너무 싫은 마티는 '수학 천재 + 체육 시간 = 비참함' 이라는 공식도 만들었답니다. 체육 선생님은 편 가르기를 좋아하셨어요. 그날의 대장들이 자기 편 아이들을 뽑았고 마티는 늘 꼴찌로 뽑혔답니다. 체육시간에 빠지려고 별별 수단을 다 써 봤지만 모두 실패하고 수학시간에 쪽지시험을 보다가 선생님한테 생각지도 못한 도움을 얻었어요. 문제의 답을 바꾸는 또 한 가지 방법은 그 문제에 새로운 것을 더하라는 것이었어요. 수학선생님은 수학반 아이들끼리 소풍이 있다고 쪽지도 보내 주셨지요. 거기서 친구를 얻을 수 있을 거란 힌트도 함께요. 이튿날 체육시간에 대장이 된 마티는 자기처럼 수학을 좋아하지만 체육은 못 하는 빌리를 제일 먼저 뽑았어요. '수학 천재 + 체육 시간 + 친구 = 파이팅' 이라는 답을 얻은 거지요.

3학년 수학 1학기 1단원 〈10000까지의 수〉에서는 10000까지의 자연수를 공부하게 됩니다. 네 자리 수의 읽기와 쓰기, 수를 뛰어서 세기, 두 수의 크기 비교하기, 몇 천 알아보기 등을 배웁니다. 두 수의 크기를 비교할 때에는 높은 자리의 숫자부터 차례로 비교한다는 것, 자릿수가 다를 때에는 자릿수가 많은 쪽이 크다는 것, 자릿수가 같을 때에는 높은 자리의 숫자부터 차례로 비교해야 한다는 것을 알게 되지요.

《수학 천재》는 마티가 일상에서 벌어지는 많은 일들을 공식으로 만드는 것을 보면서 수학과 친해질 수 있게 해 줍니다. 덧셈과 뺄셈을 이용해서 공식으로 만들어 마티가 싫어했던 체육시간에 답을 얻은 것처럼 우리도 어렵게 생각하지만 않는다면 수학을 잘 할 수 있는 답을 찾을 수 있을 거예요.

마티는 '남자아이+운동을 잘한다=친구들', '남자아이+수학을 잘한다=성적표의 '수' 도장' 등의 공식을 만들었어요. 어떤 것으로 마티처럼 공식을 만들 수 있을지 생각하면서 읽어요.

우리 가족을 대상으로 만들어 볼 수도 있어요. '아빠＋담배＝엄마 잔소리' '엄마＋웃음＝행복' 아빠가 담배를 피우면 엄마가 냄새 난다고 잔소리를 하시고, 엄마가 항상 웃으시면 우리 가족은 모두 행복하다는 뜻이 되지요.

학교를 생각하면서 만들어 볼 수도 있어요. '급식＋수요일＝고통' '운동장＋먼지＝빨래' 수요일에는 급식이 너무 맛이 없어서 괴롭다는 뜻이고, 운동장에 먼지가 너무 많아서 매일 빨래를 해야 한다는 뜻이에요. 이렇게 다양하게 만들어 본 다음에는 무슨 뜻을 담고 있는지도 함께 써 보세요.

다양한 생각과 함께 하는 독서록 ★

마티는 수학은 잘 하지만 체육은 너무나 못합니다. 나도 마티처럼 잘 하는 과목은 무엇이고 못하는 것은 무엇인가요?

'수학 천재＋체육 시간＝비참함' 이라는 공식을 마티는 친구를 넣어 풀었지만 다른 방법으로 풀 수는 없을까요?

뒷이야기를 만들어 보세요.

제목 체육 시간도 괜찮아

마티는 이제 체육 시간이 겁나지 않는다.

아직 체육을 잘하는 건 아니지만 빌리와 친구가 된 후로는 다른 친구들이

따돌려도 슬프지 않았기 때문이다.

마티가 체육 시간을 두려워하지 않으니까 다른 친구들도

서서히 마티와 빌리를 끼워 주기 시작했다.

어느 날, 수학을 좋아하는 교장 선생님이 반 대항 수학 시험을 본다고

하셨다. 강당에 가 봤더니 50문제가 적혀 있었다.

한 시간 안에 먼저 다 푸는 반이 우승하는데 우승한 반에게는

푸짐한 선물도 준다고 하셨다. 다들 난리가 났다.

마티와 빌리는 침착하게 수학 문제를 풀어가기 시작했다.

다른 친구들은 마티와 빌리를 열심히 응원했다.

마침내 50문제를 다 풀어 마티네 반이 우승했다.

친구들은 이제 마티와 빌리를 아주 좋아하게 되었다.

《싫어 싫어》
정두리 글, 파랑새어린이 펴냄
★
〈국어〉
1. 감동의 물결(3-1)

같이 읽으면 좋은 책★★

《초록 바이러스》, 이병승 글, 푸른책들 펴냄
《오리발에 불났다》, 유강희 글, 문학동네어린이 펴냄

어린이의 '스물네 시간'을 위한 노래라는 부제가 붙은 이 책은 말 그대로 노래 같은 생활 동시가 60편 실려 있습니다. 재미있는 동시 한 편에 귀엽고 장난스러운 그림을 곁들이고 시를 이해하기 쉽도록 설명까지 해 주어서 누구나 쉽게 시에 다가갈 수 있게 해 놓았어요.

매일 매일이 다 똑같은 날이라서 지루하다는 친구들을 위한 책입니다. 설명하기 힘들었던 기분들을 시로 표현한 것을 만나면 나도 모르게 고개를 끄덕이게 될 거에요. 말하기 창피했던 일들, 서운한 마음, 속상한 날이나 가슴이 뻐근하게 아픈 감정, 답답하고 우울한 일들이 모두 시로 나타나니까 '내 맘을 어쩌면 이렇게 잘 알까?' 하고 감탄하게 됩니다. 오늘 기분과 비슷한 시는 어디 있는지 한번 찾아보세요.

알록달록 가을 카펫
바스락
바스락

3학년 1학기 〈국어〉 '1. 감동의 물결'은 시를 읽고 떠오르는 생각이나 느낌을 알아보는 단원이에요. 생각이나 느낌을 나타내면 좋은 점을 찾아보고, 생각이나 느낌을 글과 그림으로 표현해 보기도 해요. 시나 이야기의 세계와 우리가 사는 세계는 어떤 점이 다르고, 어떤 점은 비슷한지 비교해 보기도 하지요.

시는 무조건 어렵다는 친구들이 있어요. 하지만 시도 여러 가지랍니다. 몇 번을 읽어봐야 무슨 말인지 알 수 있는 시도 있고 한 번 읽기만 해도 '아하!' 하고 무릎을 치게 만드는 시도 있어요. 《싫어 싫어》에 나오는 시들은 모두 쉽게 이해할 수 있어요.

이 시집은 어린이들이 하루를 보내는 동안 느낄 수 있는 것들을 시로 옮겨 놓은 책이에요. 시에서 표현된 것과 내가 하루를 보내는 것이 닮았는지 생각하면서 읽어요.

〈노랑 목도리〉라는 시를 보면 목이 썰렁하면 감기 드니까 엄마가 빙 둘러 목도리를 감아 주셨대요. 갑갑해서 벗어 버리고 싶지만 지난 가을부터 털실로 떠 주신 거니까 참는다는 내용이 있어요. 우리 엄마도 나를 위해서 털실로 장갑이랑 목도리를 짜 주신 적이 있는데 그때가 생각나요. 여기 시에 나오는 아이도 나랑 비슷한 것 같아요.

시를 읽고 떠오르는 것들을 어떻게 표현할 수 있을지 생각하면서 읽어요.

〈목욕탕에서〉라는 시는 참 재미있어요. 찜질로 붉은 도장이 찍힌 아줌마 어깨, 주글거리는 내 손가락, 푸른 무 같은 아기 엉덩이의 몽고반점. 뿌연 김이 서린 목욕탕 안에서 일어나는 일이니까 그림 위에다 셀로판지 같은 걸 붙이면 더 멋진 그림이 될 것 같아요.

다양한 생각과 함께 하는 독서록 ★*
· ·

내가 경험한 것과 비슷한 시를 찾아보세요. 어떤 일이 있었나요?

내가 이런 시를 쓴다면 어떤 일을 가지고 쓰고 싶은가요?

비슷한 경험을 표현한 시를 찾아 느낌을 써 보세요.

제목 나도 이런 적 있어

엄마 생각

뜨거운 국은
조금 기다렸다 먹어라

숟가락으로
젓가락으로 먹어야 하는
음식이 따로 있는 거란다

시골 가신
엄마 말이 곰곰 생각난다

입술에 달린
밥알 하나
혀끝으로 당기며
혼자 밥을 먹는다

엄마가 할머니 제사 때문에 시골에 가실 때
나한테 쪽지를 써 놓은 적이 있었다. '밥 잘 챙겨 먹어.'
이렇게만 썼지만 우리 엄마가 하고 싶은 말도 비슷한 것 같다.
엄마가 없으면 밥도 별로 맛이 없는데 지은이도 그런 것 같다.

《싸움닭》

《싸움닭》
이춘희 글, 사파리 펴냄
★
〈즐거운 생활〉
6. 와, 여름이다(1-1)

같이 읽으면 좋은 책★★

《염소 사또》
서종오 글, 보리 펴냄

춘삼이가 닭들에게 모이를 주고 있을 때 달석이네 대장 닭이 나타납니다. 춘삼이가 작대기를 들고 쫓아냈지만 대장 닭은 도망가는가 싶더니 춘삼이 종아리를 콕 쪼고 달아났어요. 그걸 보던 달석이가 또 매일 당하기만 하느냐며 약을 올려요. 춘삼이는 화가 나서 자기네 집 흰 닭 장돌이를 훈련시키기로 합니다. 달석이네 대장 닭은 눈도 부리부리하고 검은 털도 억세 보이는 아주 사나운 닭입니다. 하지만 춘삼이네 흰 닭 장돌이는 아주 순하고 겁 많은 그냥 평범한 닭이에요. 모래주머니 차고 달리기도 시키고, 높이뛰기도 시키고 미꾸라지를 잡아 고추장을 발라 먹여 목과 다리를 튼튼하게 만들었어요. 드디어 결전의 날이 되고 장돌이는 아주 의기양양한 닭이 됩니다.

1학년 1학기 〈즐거운 생활〉 '6. 와, 여름이다' 에서는 여름의 느낌을 나타내는 것을 배웁니다. 음악에서 느낄 수 있는 선과 색으로 자유롭게 그림도 그리고, 여름 냇가 노래도 불러 봅니다. 수수깡과 종이컵 등으로 색안경도 만들고 색깔 공으로 여러 가지 놀이를 하는 방법도 배우게 되지요.

방학이 다가오니까 여름이 좋다는 친구들이 많습니다. 신나게 물놀이를 하는 상상, 친구들과 땀을 뻘뻘 흘리면서 축구를 하거나 고무줄놀이를 하는 상상, 시골에 계신 할머니 댁을 찾아가 산으로 들로 뛰어다니는 상상. 이렇게 즐거운 상상을 하는 동안 방학은 더 가까워지기 마련입니다.

《쌈닭》은 이렇게 뜨거운 여름날 시골 할머니 댁을 상상하게 만드는 책이에요.

👧 이 책에서 여름의 느낌을 가장 잘 표현할 수 있는 것은 어떤 것인지 생각하면서 읽어요.

햇볕은 쨍쨍 내리쬐는데 모래밭을 뛰고 있는 장돌이와 춘삼이를 보세요. 더운 기운이 확확 느껴지지 않나요?

장돌이와 대장 닭의 모습이 싸우는 모습이 꿍장히 실감나지요? 눈을 감고 두 닭의 모습을 어떤 색과 선으로 표현하면 좋을지 생각하면서 읽어요.

대장은 사나운 닭이니까 아주 굵은 선으로, 장돌이는 힘이 세지고 좀더 단단해지긴 했지만 약한 닭이었으니까 중간 정도 선으로 그리면 어떨까요? 색깔은 그냥 검고 하얀 색보다는 다른 색으로 표현해보세요.

다양한 생각과 함께 하는 독서록 ★

내가 춘삼이라면 장돌이에게 어떤 훈련을 시키고 싶은가요?

대장 닭과 싸움을 하지 않고도 이길 방법은 없을까요?

등장인물을 그림으로 그리고 소개해요.

제목 약해 보여도 잘할 수 있어

장돌이 : 춘삼이네 흰 닭

처음에는 비실비실했는데 고추장 먹고 힘을 냈다.
모래주머니를 차고 달리기를 좋아한다.
춘삼이와 훈련을 하고 나서 눈빛이 사나워졌다.
그래서 이름을 짱돌이로 바꿔야 할 것 같다.

《아빠,
꽃밭 만들러 가요》
송언 글, 사계절 펴냄
★
〈바른 생활〉
8. 아껴 쓰고 제자리에(2-1)

같이 읽으면 좋은 책★

《어디로 갔지?》
문정옥 글, 소담주니어 펴냄

새봄이와 우람이가 새로 이사 온 집 앞에는 쓰레기장 같은 공터가 있습니다. 어느 날 우연히 그곳에서 지렁이를 발견했는데 엄마한테 지렁이가 사는 땅은 기름진 땅이라는 걸 듣게 되지요. 새봄이와 우람이는 그곳을 꽃밭으로 만들 계획을 세웠어요.

일요일 아침 아빠를 재촉해서 나왔지만 아빠는 꽃씨를 심기 전에 먼저 쓰레기를 치우고 땅을 파느라 시간을 다 보냅니다. 둘이 서서히 지쳐갈 때쯤 아빠는 흙을 잘게 부수고 꽃씨를 심을 수 있게 만들었어요. 새봄이와 우람이는 채송화, 봉숭아, 꽃 꽈리, 분꽃, 해바라기, 나팔꽃을 심었어요. 물도 듬뿍 주었고 매일매일 꽃밭에 나가 새싹을 기다렸어요.

며칠이 지나 귀여운 새싹이 나오고 새봄이와 우람이는 그날 밤 공터가 세상에서 가장 아름다운 꽃밭이 된 꿈을 꾼답니다.

2학년 1학기 〈바른 생활〉 '8. 아껴 쓰고 제자리에'에서는 물건을 아껴 쓸 때 좋은 점, 정리정돈을 잘하면 좋은 점을 배워요. 더불어 물건을 아껴 쓰는 방법과 정리 정돈을 잘하는 방법도 생각해 보는 단원입니다.

물건을 아껴 쓰면 오래 쓰고 쓰레기를 줄일 수 있어요. 정리정돈을 잘하면 필요한 물건을 빨리 찾을 수도 있고 보기에도 좋다는 것을 모두 알고 있지요. 그렇지만 실천하기는 생각처럼 쉽지 않아서, 《아빠, 꽃밭 만들러 가요》에서 새봄이와 우람이가 이사 온 집 앞 공터처럼 쓰레기를 산더미처럼 쌓아 놓은 곳을 많이 보게 됩니다.

새봄이와 우람이는 얼른 꽃씨를 심고 싶었지만 아빠는 그전에 하신 일이 많았어요. 어떻게 하셨는지 순서를 생각하면서 읽어요.

아빠는 꽃씨를 심기 전에 쓰레기를 먼저 치우고 꽃이 살 수 있도록 큰 돌멩이도 치우고 흙을 부드럽게 만드셨어요. 흙도 오래오래 쓰려면 관리가 필요하거든요. 잘 돌봐주어야 다음에 꽃씨를 또 심을 때 예쁘고 건강한 꽃을 보여줄 테니까요.

아빠는 꽃씨를 심으면서 줄을 맞추어 심어야 한다고 말씀하셨어요. 그 까닭을 생각하면서 읽어요.

학용품이 가득 든 서랍을 열면 지우개, 연필, 색연필이 온통 뒤죽박죽인 경우가 많아요. 그래서 가위 하나를 찾으려 해도 서랍을 몽땅 뒤지는 일이 생기지요. 꽃씨들도 뒤죽박죽으로 마구 심어 놓으면 키가 큰 꽃, 작은 꽃이 엉켜서 햇볕을 골고루 받을 수 없게 돼요. 채송화가 조르르, 분꽃이 나란히 피어 있으면 보기도 좋겠지요. 정리정돈은 이런 때도 필요하답니다.

다양한 생각과 함께 하는 독서록 ★

새봄이가 이사 온 집 앞 공터는 왜 그렇게 쓰레기가 가득하게 되었을까요? 우리 집 앞 공터에도 쓰레기가 가득하다면 어떻게 하고 싶은가요?

예쁜 꽃밭이 완성되면 그 동네 사람들은 어떤 마음이 들까요?

사진으로 표현해요.

제목 깨끗한 게 좋아

새봄이와 우람이가 집 앞 공터를 멋진 꽃밭으로 만든 것을 보고
나도 반성을 많이 했다. 내 책상은 언제나 이렇게 지저분한 편이다.
1학년 때는 엄마가 치워 주셨지만 아빠가 버릇 나빠진다고
치워 주지 말라고 하셨다. 그래서 엄마가 잔소리를 하실 때만 치우는데
앞으로는 새봄이랑 우람이처럼 매일매일 깨끗하게 정리하기로 했다.
깨끗해지니까 기분도 참 좋다.

《아재랑 공재랑
동네 한 바퀴》
조은수 글, 길벗어린이 펴냄
★
〈미술〉
3. 작품 감상(3학년)

같이 읽으면 좋은 책★
《명화로 보는 미술의 모든 것》, 장보람 글, 시공주니어 펴냄
《이야기가 숨어 있는 옛 그림 숲》, 최석조 글, 시공주니어 펴냄

사람들이 일하고 쉬고 잔치도 벌이며 함께 어우러져 살아가는 모습을 그린 그림을 풍속화라고 해요. 조선 시대 후기인 18세기에서 19세기에 많이 그려졌지요. 풍속화 하면 신윤복과 김홍도가 유명하지만 공재 윤두서와 관아재 조영석은 풍속화를 앞서 그렸던 사람이에요.

이 책은 조용석의 호 아재와 윤두서의 호를 딴 두 아이의 시선을 따라 가면서 풍속화를 구경할 수 있게 만들어 놓았습니다. 공재가 훈장님께 글을 잘 못 읽었다고 회초리를 맞은 뒤 우울해하자 친구 아재가 동네 한 바퀴를 돌자고 합니다. 굿판도 보고 기와 이는 모습, 논갈이, 할아버지 잔칫상, 악사들, 꽃놀이 가는 사람들, 목욕하는 여인도 훔쳐보고, 고기 낚는 사람, 대장간, 사또 나리 행렬 등을 두루 구경하고 집으로 돌아오기까지 일들을 그림으로 만날 수 있어요. 그림을 따분하게 설명하는 게 아니라 공재와 아재가 서로 노래처럼 '분내음 꽃내음 따라 / 어디만큼 왔나? / 깊은 산 속 개울가에 왔지.' 이렇게 주고받는 설명도 재미있습니다.

그림을 그리는 것도 쉬운 일은 아니지만, 다른 사람이 그린 그림을 보고 느낌을 꺼내는 일도 어렵습니다. 3학년 〈미술〉 '3. 작품 감상'은 미술 작품을 어떻게 보는 것이 좋은지에 대해 배워 보는 단원이에요. 작품을 처음 보았을 때의 느낌을 말해 보고 작품 속에 보이는 것들을 이야기하기, 작품 속에 나타난 선과 형, 색에 대해 이야기하기를 통해 자연스럽고 솔직한 느낌을 꺼내 봅니다. 어떤 재료로 만들어졌고 작가가 작품 안에서 무엇을 표현하려고 했는지도 생각해 보는 시간이지요.

《아재랑 공재랑 동네 한 바퀴》에서는 우리가 흔히 볼 수 없는 조선 시대 화가들이 그린 그림들을 많이 만나볼 수 있어요. 조선 시대 사람들이 어떻게 살았는지를 알 수 있도록 풍속화를 중심으로 다루었기 때문에 인물들의 표정이 드러나 감상을 더욱 쉽게 해 준답니다.

작품을 하나 골라 자세히 살펴보세요. 제목을 참고하면서 작가가 이 그림에서 어떤 것들을 표현하고 싶었는지 생각하면서 읽어요.

김홍도가 그린 〈대장간〉을 보면 조선 시대에 대장간은 어떤 식으로 쇠를 다루었고 몇 명이 함께 일해야 하는지를 알 수 있어요. 지금처럼 공장에서 뚝딱 만들어내는 게 아니라 모두 다 사람 손으로 해야 하는 힘든 작업이었지요.

그림을 빨리 넘기려고 하지 말고 조금 천천히 보면서 어떤 느낌이 들었는지 정리하며 읽어요.

신윤복이 그린 〈단옷날〉을 보면 오른쪽에는 예쁜 한복을 입고 그네를 타거나 긴 머리를 땋는 게 보기 좋은데, 왼쪽에는 목욕하는 여인들을 훔쳐보는 스님 두 명의 모습은 나쁜 것 같아요.

다양한 생각과 함께 하는 독서록 ★*
· ·

가장 마음에 드는 풍속화를 골라 이야기를 만들어 보세요.

현재 우리가 사는 세상을 풍속화로 표현한다면 어떤 모습을 그림으로 남기면 좋을까요?

가장 마음에 드는 그림을 골라 이야기로 만들어요.

제목 그림으로 다 말해요

옆집 사는 홍덕이는 공부하는 걸 너무 싫어한다.
어제 훈장님이 천자문을 열 번씩
외우고 가라 하셨는데 그걸 안 하고
도망간 걸 정수가 얘기해서 들켰다.
"홍덕이, 이리 나와!"
자꾸만 약속을 안 지키는
홍덕이 때문에 훈장님이
화가 나셔서 회초리를 드셨다.
무려 스무 대나 맞았다.
우리는 무슨 일에나 약속을 안 지키는 홍덕이가 맞는 게 고소해서
낄낄대고 웃었다. 고자질한 정수도 미안하지 않은 모양이다.
훈장님만 때리고 나서 마음이 안 좋으신가보다.

《어디에서 왔을까?》
안 소피 보만 글, 아이세움 펴냄
★
〈슬기로운 생활〉
4. 물건도 여행을 해요(2-2)

같이 읽으면 좋은 책★
《물건은 어떻게 만들까》
라루스 출판사 글, 길벗어린이 펴냄

아침에 일어나면 여러 가지 궁금증이 생깁니다. 우유는 어떻게 만들어졌지? 코코아는 어떻게 여기까지 오게 된 거야? 욕실의 물은 어디에서 오는 걸까? 비누랑 치약은 어떻게 만들어지는 거지? 씻고 나면 세면대의 물은 어디로 가는 걸까? 옷은 어떻게 만들어졌을까? 교실에 있는 종이랑 책상은? 소금은 어떻게 만들어진 걸까? 유리창은?

이렇게 꼬리를 무는 궁금증에 친절하게 대답을 해 주는 책입니다. 궁금증이 생긴 그림 옆에 또다시 작은 종이를 접어 놓았는데, 그 종이를 펴면 정답이 숨겨져 있는 거예요. 예를 들어 우유 옆에 숨은 종이를 펴면 그림과 함께 설명이 있어요. 암소가 풀도 많이 먹고 물도 많이 마셔서 송아지를 낳으면 암소가 우유를 만들어요. 사람들은 송아지가 먹을 우유를 짜서 우유 공장으로 나르고 세균을 없애고 우유병에 담으면 우리 집 냉장고까지 올 수 있다는 것을 알려 줍니다.

숨바꼭질을 하듯 여기저기 숨어 있는 지식 창고를 열고 닫다 보면 척척박사가 될 수 있지요.

우리는 하루 동안에도 많은 물건들을 사용하면서 지냅니다. 공부할 때는 연필, 지우개, 공책 등을 사용하고 세수할 때는 치약, 칫솔, 비누, 수건 등이 필요하잖아요. 밖에 나가려면 옷도 입어야 하고 모자도 쓰고 신발도 신고 가방도 들어야 하죠.

2학년 2학기 〈슬기로운 생활〉 '4. 물건도 여행을 해요'에서는 하루를 보내면서 얼마나 많은 물건들을 사용하는지 정리해 보고 그 물건들의 생산지와 우리 손으로 들어오기까지 과정을 공부하면서 물건을 쓸 때 지켜야 할 것들을 생각해 보는 단원입니다.

《어디에서 왔을까?》에서 물건들이 여행을 하는 걸 지켜보면 생각하지도 못한 곳에서 왔다는 것을 알 수 있어요.

아침 식탁에서 궁금해진 것을 살펴보기로 해요. 달콤한 코코아와 부드러운 빵은 어디에서 왔는지 정리하면서 읽어요.

아프리카에 있는 카카오나무에서 열매가 열려요. 열매 속에는 씨앗이 들어 있어요. 그것이 바로 카카오인데 우선 카카오를 햇볕에 말려요. 말린 카카오를 자루에 담아 배에 싣고 초콜릿 공장으로 보내죠. 공장에서 카카오를 볶은 뒤 으깨는데 이렇게 해서 완성된 카카오 반죽으로부터 초콜릿과 코코아 가루가 만들어진답니다.

🧒 우리가 밥을 먹기까지에도 많은 사람들의 손길이 필요합니다. 어떤 분들이 애쓰셨는지 생각하면서 읽어요.

밥을 먹으려면 우선 농부들이 벼를 키워야 합니다. 다 자란 벼는 베어서 잘 말린 후 방앗간에 가져가 껍질을 벗기는 일이 해야 하고, 자루에 담아 가게로 운반이 되면 그것을 사가지고 집으로 돌아와 엄마가 맛있게 밥을 하시죠.

다양한 생각과 함께 하는 독서록 ★★

🧒 처음 알게 된 것들 중에서 가장 기억에 남는 것은 무엇인가요?

🧒 책에 소개된 것 말고도 궁금한 물건은 무엇이 있나요? 내 생각에 그 물건은 어디에서 왔을 것 같나요?

👩 책 광고를 해 보세요.

제목 이제야 알겠어

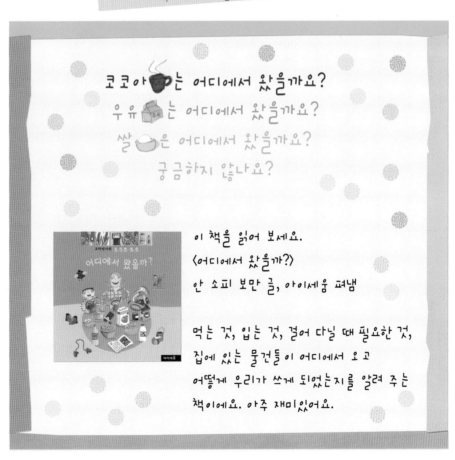

코코아 ☕는 어디에서 왔을까요?
우유 🥛는 어디에서 왔을까요?
쌀 🍚은 어디에서 왔을까요?
궁금하지 않나요?

이 책을 읽어 보세요.
〈어디에서 왔을까?〉
안 소피 보만 글, 아이세움 펴냄

먹는 것, 입는 것, 걸어 다닐 때 필요한 것,
집에 있는 물건들이 어디에서 오고
어떻게 우리가 쓰게 되었는지를 알려 주는
책이에요. 아주 재미있어요.

129

《옛날의 교통통신
: 달구지랑 횃불이랑》
햇살과 나무꾼 글, 해와나무 펴냄
★
〈사회〉
3. 고장의 생활과 변화(3-1)

같이 읽으면 좋은 책★
《모양도 쓸모도 제각각 조상들의 도구》
이영민 글, 주니어랜덤 펴냄

기차와 자동차가 우리나라에 들어온 지는 이제 겨우 100여 년이 되었어요. 우편배달부가 다니고 전화가 놓이기 시작한 것도 110년 가량 되었구요. 이 책은 이런 것들이 들어오기 이전인 옛날에는 어떤 것들을 타고 다녔는지, 무엇으로 서로 연락을 주고받았는지를 알려 주는 책입니다.

〈좁쌀 한 톨로 장가든 청년〉 이야기로 시작을 하는데 좁쌀 한 톨이 어여쁜 처녀로 바뀔 때까지 청년이 어떻게 다녔는지에 초점이 맞춰지면서 자연스럽게 옛날 사람들의 교통수단 이야기로 들어갑니다.

정보마당에는 구체적인 교통수단이나 통신수단에 대해 자세히 설명하고 있습니다.

배움마당에서는 암행어사는 어떻게 일을 했는지, 임진왜란 때 잠을 자던 봉수 이야기 등이 소개되어 있어요.

익힘마당에서는 교통수단과 통신수단의 발달 모습을 알기 쉽도록 정리해 놓았어요.

　　사람들이 살면서 꼭 필요한 것들인 먹고 입고 자는 모든 것을 의, 식, 주라고 해요. 그래서 의, 식, 주를 살펴보면 옛날 사람들이 어떻게 살아왔는지를 알 수 있어요. 3학년 1학기 〈사회〉 '3. 고장의 생활과 변화'에서는 옛날과 오늘날의 의, 식, 주를 비교하고 생활도구 발달이 생활에 어떤 영향을 끼쳤는지를 조사합니다. 조상들이 사용한 생활도구에 담긴 멋과 슬기도 찾아보고, 옛날 물건의 좋은 점을 살린 오늘날의 물건은 무엇이 있는지도 알아보는 단원이에요.

　　《옛날의 교통통신 : 달구지랑 횃불이랑》은 그중에서도 옛날 사람들이 무엇을 타고 다녔는지, 서로 소식을 전할 때는 어떻게 했는지를 알아보는 책입니다.

　　짚신, 가마, 마패, 봉화, 역참, 장승, 달구지는 무엇인지 꼼꼼하게 찾아보면서 읽어요.

　　대부분 사람들은 걸어서 다녔기 때문에 무엇보다 튼튼한 신발이 필요했어요. 하지만 형편이 넉넉하지 않은 사람들은 튼튼한

가죽으로 만든 신발이 없어서 지푸라기로 삼은 짚신을 짐에 넣고 다니다가 낡고 떨어지면 다른 짚신으로 갈아 신곤 했어요.

옛날에 쓰던 교통, 통신 수단 중에 지금도 이어서 쓰는 것이 있을까요? 어떤 것들이 있는지 생각하면서 읽어요.

자동차가 있지만 요즘에도 건강을 위해서 가까운 거리는 걸어 다니는 사람들이 많아요. 우리나라에서는 볼 수 없지만 말을 타고 다니는 나라도 있구요. 시골에서는 여전히 소에 달구지를 매어 사용하는 것도 가끔 볼 수 있답니다.

다양한 생각과 함께 하는 독서록 ★

지금도 옛날처럼 소식을 전할 때 사람들이 직접 편지를 전한다면 어떤 점이 불편할까요?

옛날 사람들이 이용하던 교통수단 중에 꼭 타 보고 싶은 것이 있나요? 왜 그것을 타 보고 싶은가요?

책에서 알게 된 정보를 이용해서 써 보세요.

제목 아하, 옛날에는 이랬구나

만약 지금도 옛날처럼 걸어서 편지를 전달하거나,
소식을 전해야 한다면 얼마나 힘들까? 말을 타고 가도 지금처럼 빠르게
가진 못했을 테니 급한 소식을 전하지 못해서 어려움이 많았을 것 같다.
인터넷이나 전화가 있다는 게 정말 편하다는 걸 깨달았다.
그렇지만 급한 일이 생겼을 때 봉수대를 이용한 건 대단한 것 같다.
어떻게 그런 생각을 했을까? 올리는 불의 수에 따라 알리고 싶은 게
달랐다는 것도 마음에 든다.
사극에서 많이 보던 마패가 암행어사 출두할 때만 쓰는 게 아니라
말을 바꿔 탈 수 있는 표시라는 게 약간 실망스럽긴 했다.
왠지 암행어사가 나타날 때 마패를 꺼내 보이는 게
멋있어 보였기 때문이다. 그래도 한 번쯤 나도 말을 타고
역참에 가서 마패를 꺼내 보이고 싶다.

《우리 할아버지가
꼭 나만 했을 때》
주경호 글, 보림 펴냄
★
〈음악〉 전체(3학년)

같이 읽으면 좋은 책★
《우리나라 전래동요 동시》
김원석 글, 파랑새어린이 펴냄

할아버지가 꼭 나처럼 어렸을 때 하루 종일 친구들과 함께 무얼 하며 지냈는지를 전래동요로 보여 주는 책이에요. 전래동요를 직접 들려 줄 수 없다는 것을 감안해서 놀이와 어울리는 생생한 장면을 그대로 살려냈답니다. 〈두껍아 두껍아〉, 〈솔개미 떴다〉, 〈앞산에 빨간 꽃요〉, 〈어디까지 왔니〉, 〈독 사려〉 같은 '놀이 노래'와 〈앞니 빠진 덜걱이〉, 〈골났니 성났니〉, 〈중중 까까중〉 같은 '놀림 노래', 〈이서방 일하러 가세〉, 〈꼬부랑 할머니〉, 〈하늘천 따따지〉, 〈가갸 가다가〉, 〈민들레는 시집가고〉, 〈찔레 먹고 찔찔〉 등의 '말놀이'도 만날 수 있어요.

〈동무 동무 씨동무〉, 〈어깨동무 새 동무〉 등의 '동무 노래', 〈가잿골 양반이〉, 〈나비 나비 범나비〉, 〈잠자라 꼼자라〉, 〈방아야 방아야〉, 〈개똥벌레 똥똥〉 같은 '동물 노래'도 보고, 〈비야 비야 오는 비야〉, 〈해야 해야 붉은 해야〉, 〈참깨 줄게 볕 나라〉, 〈별 하나 나 하나〉 등의 '자연에 대한 노래' 부분과 〈새는 새는 나무에 자고〉 같은 '자장 노래'까지 모두 7가지 주제로 나누어 27편의 전래동요를 만날 수 있어요.

3학년 〈음악〉에서는 노래를 듣고 흥겹게 따라 부르기, 장단을 치며 노래 부르기, 손뼉치기 하며 노래 부르기, 셈여림 표현하며 노래 부르기, 음악을 듣고 모습을 상상하기, 타악기 리듬연주하기, 장구의 구음과 부호 익히기 등을 익힙니다. 그리고 독특한 것으로 주변의 여러 가지 민속놀이를 조사하여 발표하고 전래동요의 특징을 살려 노래 부르는 부분이 있어요. 〈덕석몰자〉나 〈남생아, 놀아라〉 놀이를 하면서 전래동요의 특징을 찾는 거예요.

《우리 할아버지가 꼭 나만 했을 때》에서도 비슷한 민속놀이를 많이 발견할 수 있어요.

이 책에서는 전래동요의 가사만 전하고 있어서 리듬을 확실히 알 수 없어요. 하지만 몇 번씩 가사를 읽다보면 리듬이 떠오르기도 한답니다. 어떤 리듬이 어울릴지 생각하면서 읽어요.

〈앞니 빠진 덜걱이〉 노래는 '앞니 빠진 덜걱이 / 뒷니 빠진 덜걱이 / 우물가에 가지마라 / 붕어새끼 놀란다 / 밥 푸는데 가지 마라/ 밥 주걱에 뺨 맞는다' 라는 가사로 되어 있어요. 돌림노래라서 여럿이 함께 하면 더 재미있지만 혼자서라도 몇 번이고 따라 읽어 보세요. 읽기 쉬운 리듬이 생기죠? 그게 바로 그 노래에 어울리는 리듬이 되는 거예요.

　　엄마와 아빠도 아시는 전래동요와 민속놀이들이 있을 거예요. 어떤 것들을 해 보셨는지 부모님과 이야기를 나누며 읽어요.

　　지방마다 노래의 가사나 리듬이 조금씩 다르기도 하지요. 노는 방법이 다를 수도 있어요. 책에서 표현된 것과 비슷한지 다른지 여쭤 보고 엄마, 아빠한테 노래도 한 번 불러달라고 해 보세요. 내가 상상하던 노래와 비슷한가요?

다양한 생각과 함께 하는 독서록 ★˙

　　인형들의 움직임을 봤을 때 어떤 놀이가 가장 재미있을 것 같나요?

　　요즘 하는 놀이와 비슷한 것이 있었나요? 어떤 놀이와 비슷한가요?

'할아버지가 나만 했을 때' 놀이와 지금 놀이는 어떻게
다른지 비교하면서 써 보세요.

제목 지금도 하면 재미있을 텐데

'두껍아 두껍아'는 지금도 모래밭에 가서 아이들과 함께 하는 놀이다.
모래를 두껍게 쌓았다가 손을 쑥 빼는 놀이인데 언제 해도 재미있다.
엄마 어릴 때는 이가 빠지면 진짜로 '앞니 빠진 덜걱이' 같은 노래를
불렀다고 하셨다.
하지만 우리는 놀릴 때 하는 노래들은 별로 하지 않는다.
산이 근처에 없어서 그런지 '나비 나비 범나비' '개똥벌레 똥똥' 같은
동물 노래도 하지 않게 된다. 그때는 밖에서 노는 시간이 많아서
너무 부럽다.
우리들은 컴퓨터 게임이나 딱지치기, 공기놀이 같은 놀이만 많이 하니까
노래는 별로 안 한다.
옛날이 더 재미있게 놀았던 것 같다.

《잔소리 없는 날》
안네마리 노르덴 글, 보물창고 펴냄
★
〈국어〉
6. 좋은 생각이 있어요(3-1)

같이 읽으면 좋은 책★
《내 맘도 모르면서》, 이나모토 쇼지 글, 책읽는곰 펴냄
《엄마, 내 마음 아세요》, 노경실 글, 을파소 펴냄

푸셀은 8월 11일 월요일 단 하루 동안, '잔소리 없는 날'을 맞게 됩니다.

월요일 아침 푸셀은 세수도 안 한 채 자두잼을 계속 퍼먹고 건널목에서 딴 생각에 빠지는 바람에 차에 치일 뻔했지만 무사히 학교에 갔어요. 오후 수업을 빼먹고 친구 올레와 가게에 가기도 하고요.

집에 돌아 가서도 엄마에게 수업을 빼먹었다는 말을 당당하게 하고, 모르는 사람들을 초대해 파티를 열기로 합니다. 술에 취한 아저씨를 본 다른 아이들은 파티에 못 오겠다고 합니다. 결국 아저씨는 술에 취해 잠이 들고 엄마와 함께 케이크를 먹는 것으로 파티는 끝이 나지요.

집에 돌아온 아빠가 아저씨를 집에 모셔다 드린 후 푸셀은 올레와 함께 공원에서 텐트를 치고 잠을 자기로 해요.

가족들은 하루가 무사히 지나간 것을 축하하고 푸셀은 선생님에게 숙제를 못 한 이유를 편지로 쓰면서 다시는 이런 일이 없을 거라고 다짐을 하는 이야기입니다.

3학년 1학기 〈국어〉 '6. 좋은 생각이 있어요'는 이야기를 읽고 깨달은 점을 찾아보는 단원이에요. 우리 뇌는 열심히 일을 잘하기 때문에 이야기를 재미있게 읽으면서도 동시에 여러 가지를 생각할 수 있답니다. 이야기를 잘 읽으면 글쓴이가 무슨 생각을 들려 주고 싶은 건지 찾을 수가 있지요. 제목을 보면서 지은이가 무엇을 얘기하고 싶은지를 생각할 수도 있고, 주인공이 하는 말이나 행동을 보면서 내가 비슷한 행동을 한 적은 없는지도 떠올려 보고 반성할 점을 생각할 수도 있어요.

푸셀이 한 행동이나 말을 생각하면서 읽어요.

"그게 뭐 어때서? 파티를 여는데 사람이 모자라서 부탁하는 것뿐인데……."

푸셀은 공원에 나가서 처음 보는 아이들을 초대하면서 이렇게 말을 해요. 그런데 어떤 사람인지도 모르면서 처음 만난 사람을 집으로 초대하는 것은 괜찮은 걸까요?

제목 '잔소리 없는 날'은 잔소리 없는 날이 좋다는 것인지, 나쁘다는 걸 말하고 싶은 것인지를 생각하면서 읽어요.

마음대로 하루를 보낸 푸셀은 잠자기 전에 선생님께 숙제를 하지 않은 이유를 편지로 쓰면서 엄마께 거짓말을 해 달라고 부탁합니다. 엄마는 거짓말을 할 수는 없다고 거절을 하셨는데 푸셀에게 행동에는 책임이 따른다는 것을 알려 주시려는 건 아니었을까요? '잔소리 없는 날'이 결코 좋지만은 않다는 뜻 같은데 어떻게 생각하나요?

다양한 생각과 함께 하는 독서록 ★★

우리들이 뽑은 '독이 되는 잔소리 베스트 5'와 '약이 되는 잔소리 베스트 5'는 어떤 것들이 있을까요?

여러분은 잔소리를 어떻게 정의 내리고 싶은가요?

내가 만약 푸셀이라면 잔소리 없는 날에 무엇을 하고 싶은가요?

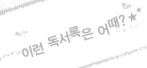

이런 독서록은 어때?★★

 주인공이 한 행동을 관찰하고 써 보세요.

제목 **넌 좋겠다**

푸셀은 진짜 좋겠다. 나도 잔소리 없는 날이 있었으면 좋겠다.
푸셀은 양치질도 안 하고 자두잼만 퍼먹고 학교에 갔다.
수업을 빼먹고 가게에 가기도 하고 모르는 사람들을 불러서
파티를 벌이기도 했다.
게다가 저녁에 공원에 텐트를 치고 친구와 잠을 자기까지 했는데
너무 부러웠다. 술 취한 사람을 데려오는 건 마음에 안 들지만 다른 건
다 부러웠다.
나한테 잔소리 없는 날을 생긴다면, 하루 종일 늘어지게 잔 다음
먹고 싶을 때 먹고, 컴퓨터 게임을 오래 하고 싶다.
또 저녁 늦게까지 텔레비전을 보고 씻지도 않고 그냥 잤으면 좋겠다.

《재활용 아저씨 고마워요》
알리 미트구치 글, 풀빛 펴냄
★
〈바른 생활〉
5. 환경이 웃어요(1-2)

같이 읽으면 좋은 책★
《초록지구를 만드는 친환경 쇼핑》
J. 안젤리크 존슨 글, 꿈터 펴냄

크링겔 씨는 부자 동네로 이사를 왔어요. 그 동네 사람들은 자꾸만 새 물건을 사들이고 헌 물건은 옆집으로, 옆집으로 던졌어요. 그러다보니 어느 날 아침 크링겔 씨 집 앞은 쓰레기로 가득 차게 되었답니다. 못 살던 시절을 기억한 크링겔 씨는 물건을 버리는 게 아까워서 쓸 만한 것들을 모두 모아 두었어요. 집 안까지 온통 물건으로 가득 차서 좋아하는 살구잼도 못 가지러갈 정도가 되었는데 아이들이 놀러 왔어요. 어떤 아이는 바퀴를, 어떤 아이는 알록달록한 천을 갖고 싶어 했어요. 아이들은 크링겔 씨 집에 와서 이것저것 만들며 신나게 놀았어요. 부모들은 새 장난감을 마다하고 재활용으로 만든 장난감을 좋아하는 아이들을 이해하지 못했고 그게 다 크링겔 씨 잘못이라고 했답니다. 하지만 서로 오해가 풀리고 아이들이 만든 장난감을 모두 집으로 가져가면서 크링겔 씨도 드디어 살구잼을 찾아 맛있게 먹을 수 있게 되었어요. 그 뒤로 동네 사람들과 크링겔 씨는 모두 친구가 되었답니다.

1학년 2학기 〈바른 생활〉 '5. 환경이 웃어요'에서는 쓰레기를 줄여야 하는 이유와 쓰레기를 줄일 수 있는 방법을 알아봅니다. 쓰레기도 그냥 버리는 것이 아니라 어떻게 버리는 게 좋은지, 재활용품은 어떻게 활용하는 지도 함께 배운답니다.

《재활용아저씨 고마워요》에 나오는 사람들은 모두 새 물건을 사는 걸 아무렇지도 않게 생각합니다. 텔레비전에서, 라디오에서, 지나가면서 보는 광고판에서도 매일매일 새로운 물건을 소개하고 사라고 부추겼거든요. 우리도 비슷하지 않을까요? 필요도 없는데 습관적으로 지우개며 연필, 수첩을 사고 싫증이 나면 버리는 친구들을 많이 봤거든요.

크링겔 씨가 사는 동네 사람들은 매일매일 쓰레기를 옆집 담 너머로 버렸어요. 이런 쓰레기는 어떻게 버려야 좋을지 생각하면서 읽어요.

크링겔 씨는 옛날에 먹을 것도 귀했던 시절을 생각하고는 아까워서 물건을 함부로 버리지 못했어요. 쓸모가 없어진 물건만 골라 정해진 곳에 버리면 훨씬 치우기도 쉽고 그것으로 다른 사람이 재활용할 수도 있을 거예요.

🧑 아이들은 크링겔 씨가 쌓아둔 쓰레기들을 장난감으로 만들어 재활용했어요. 이런 방법 말고 재활용할 수 있는 더 좋은 방법은 없을지 생각하면서 읽어요.

어릴 때 읽었던 책들과 작아진 옷은 동네에 사는 어린 동생들에게 물려주는 일은 한두 번 해 봤을 거예요. 이렇게 내게 필요 없는 물건들은 그 물건이 꼭 필요한 곳으로 보내는 것도 방법이에요.

다양한 생각과 함께 하는 독서록 ★

🧑 크링겔 씨가 쓰레기를 집 앞에 던져두는 사람들에게 화를 냈다면 어떻게 되었을까요?

🧑 아이들이 만든 장난감을 집으로 가져간 뒤에도 동네 사람들은 새 물건을 많이 샀을까요?

네 컷 만화로 표현해 보세요.

제목 **함부로 버리지 말아야 해**

크링걸 아저씨가 부자 동네로 새로 이사왔어요.

동네 사람들이 마구 버린 물건들 때문에 아저씨네 집은 쓰레기로 가득 찼어요.

아저씨는 쓰레기를 분류했고 아이들이 그 집에 와서 장난감을 만들고 놀았어요.

사람들은 잘못을 깨닫고 버린 물건들을 다시 가져갔고, 아저씨네 집도 깨끗해졌어요.

《즐거운 이사 놀이》
안노 미쓰마사 글, 비룡소 펴냄
★
〈수학〉 3. 10을 가르기와 모으기
(1-2)

같이 읽으면 좋은 책★☆
《꼬끼오네 병아리들》
이범규 글, 비룡소 펴냄

이 책은 글씨가 하나도 없어요. '이게 무슨 책이야?' 하고 놀랄 수도 있지만 그림을 자세히 살펴보는 동안에 0에서 10까지 수를 자연스럽게 익힐 수 있는 책입니다.

머리를 양 갈래로 묶은 여자아이, 노란 모자를 쓴 남자아이, 한쪽 머리만 빨간 리본으로 묶은 여자아이, 산타할아버지처럼 빨간 고깔모자를 쓴 남자아이, 빨간 조끼를 입고 하얀 앞치마를 입은 여자아이, 빨간 양말을 신은 남자아이, 초록색 리본을 머리에 단 여자아이, 멕시코 모자를 쓴 남자아이, 줄무늬 바지를 입고 빨간 티셔츠를 입은 남자아이, 빨간 조끼를 입고 빨간 신발을 신은 여자아이 모두 열 명의 어린이가 주인공이에요.

한 장을 넘길 때마다 뾰족지붕 집에서 네모난 집으로 한 명씩 이사를 갑니다. 네모난 집으로 이사를 간 친구들이 늘어날 때마다 뾰족지붕 집에 남은 친구들은 줄어들어요. 마지막 장까지 넘기면 뾰족지붕 집은 텅 비게 되고 네모난 집에는 열 명의 친구들이 모두 이사를 가게 된답니다.

1학년 2학기 〈수학〉 '3. 10을 가르기와 모으기'를 배우는 부분입니다. 10을 두 수로 가르기, 10이 되도록 더하기, 10이 되도록 빼기를 알 수 있지요. 숫자로 하면 복잡해 보이는 이런 수학도 그림으로 배우면 아주 쉬워요.

《즐거운 이사놀이》는 어린이 열 명을 일단 자세히 관찰해야 해요. 모두 비슷해 보이지만 다른 옷, 다른 모자, 다른 신발을 신어서 구별할 수 있어요. 왼쪽 뾰족지붕 집에서 오른쪽 네모난 집으로 차례대로 한 명씩 이사를 가는 동안 남아 있는 아이와 이사를 간 아이 수를 세어 보면서 $0+10=10$, $1+9=10$, $2+8=10$, $3+7=10$, $4+6=10$, $5+5=10$, $10-1=9$, $10-2=8$, $10-3=7$, $10-4=6$, $10-5=5$, $10-6=4$, $10-7=3$, $10-8=2$, $10-9=1$, $10-10=0$ 같은 더하기와 빼기 개념을 자연스럽게 익힐 수 있는 책입니다.

아이들에게 이름을 붙여 주고 그 아이가 몇 번째로 이사를 갔는지 찾으면서 읽어요.

단순히 10을 가르고 모으는 것만 하면 재미없잖아요. 그림을 몇 번 넘겨보고 익숙해지면 아이들에게 이름을 붙여주세요. 맛있는 과일 이름을 붙여 주는 것도 좋아요. 사과 양, 딸기 군, 수박 양, 참외 군 하는 식으로요. 여러분도 그렇게 이름을 붙여 보면 훨씬 집중해서 읽을 수 있어요.

한 장씩 넘길 때마다 뾰족 지붕 집과 네모난 집에 있는 아이들 수를 연습장에 적어 보면서 읽어요. 양쪽을 다 합해서 10명이 되는지도 확인하면서 읽어요.

그럼, 이런 식이 만들어질 거예요. 10-0=0, 10-1=9…… 혹은 1+9=10, 2+8=10.

다양한 생각과 함께 하는 독서록 ★*
● ●

이 아이들은 왜 이사를 가는 걸까요?

네모난 집과 뾰족한 지붕 집에 이름을 붙여 준다면 어떻게 지을 건가요? 왜 그렇게 지었나요?

그림만 있는 책이지만 즐겁게 상상해요.

제목 어휴, 정신 없어

열 명이나 나오는 그림을 보느라 눈이 빙글빙글 돌았다.
처음에는 그림만 있어서 좋다고 했는데 누가 이사 갔는지 찾는 게
어려웠다. 차라리 글이 있는 게 나을 뻔했다.
하지만 여러 번 보니까 아이들을 모두 구분할 수 있어서
인형놀이 하는 기분이었다. 나는 뾰족한 지붕 집이 더 집 같아서
마음에 드는데 왜 이사를 가는지 모르겠다.
그래도 네모난 지붕 집이 새 집이니까 가고 싶은가 보다.
네모난 집은 상자처럼 생겼으니까 상자집, 뾰족한 지붕 집은
세모난 모양이니까 세모집이라고 부르면 좋겠다.
엄마가 옆에서 자꾸만 덧셈이랑 뺄셈을 해 보라고 하셔서 귀찮았지만
이렇게 그림으로 하니까 수학도 재미있었다.
내가 수학 박사가 된 것 같았다.

《케이크 도둑》
데청 킹 글, 거인 펴냄

★

〈국어〉
5. 알기 쉽게 차례대로(3-1)

같이 읽으면 좋은 책★
《수염 할아버지》
이상교 글, 보림 펴냄

이 책은 말이 없는 아주 조용한 그림책입니다. 검은 쥐와 토끼, 오리, 염소, 돼지, 뱀, 카멜레온 등 등장인물들이 많지만 내용을 이해하는 데 방해가 되지는 않습니다.

어느 날 검은 쥐 두 마리가 멍멍이 부부의 초콜릿 케이크를 훔쳐가면서 이야기가 시작되지요. 한쪽에서는 토끼가 울고 있고, 길을 가던 오리 가족의 새끼 오리 한 마리는 다른 곳으로 가 버리고 소풍을 가던 새끼 돼지는 뱀이 쫓아갑니다. 전혀 상관이 없는 것 같아 보이던 등장인물들이 케이크를 쫓는 과정에서 모두 연결이 되는 재미있는 그림책이에요. 결국 모두들 다시 마을로 돌아와 케이크를 맛있게 먹으면서 끝이 납니다.

보는 사람에 따라 이야기를 다르게 만들 수 있어서 더 흥미를 끄는 책이랍니다.

3학년 1학기 〈국어〉 '5. 알기 쉽게 차례대로'에서는 일이 일어난 순서대로 설명하기와 설명서를 읽고 일의 순서를 파악하는 방법, 듣는 사람이 알기 쉽게 하려면 어떻게 말을 해야 하는지를 공부하는 단원입니다.

설명서는 일이나 물건을 만드는 순서를 설명하는 글이에요. 장난감을 조립하는 방법이나 라면을 끓이는 방법 등을 써 놓은 글도 모두 설명서라고 할 수 있어요. 차근차근 잘 읽지 않으면 이상하게 생긴 로봇이 만들어지기도 하고 맛없는 라면을 먹게 될 수도 있답니다.

《케이크 도둑》은 특히 글이 없는 그림책이니까 처음부터 차례대로 설명하지 않으면 어떤 이야기인지 알 수가 없어요. 전체적인 그림을 쭉 훑어보고 대강의 줄거리를 머릿속에 정리한 다음에 큰 덩어리로 나누어서 생각해 보세요.

이야기를 어디서부터 설명하는 것이 좋을지 생각하면서 읽어요.

설명을 할 때는 방향을 정하면 훨씬 쉬워요. 왼쪽 그림부터 오른쪽에 있는 그림으로, 위에서 아래로 설명을 하는 거지요. 특징적인 것을 중심으로 설명하는 방법도 좋아요.

이 이야기는 중심 사건이 무엇인지 생각하면서 읽어요.

제목이 케이크 도둑이니까 케이크를 잃어버린 것이 가장 큰 사건이 되겠지요? 새끼 오리가 다른 곳으로 가버리거나, 뱀이 새끼 돼지를 노리는 일을 중심 사건으로 하면 완전히 엉뚱한 이야기가 될 수도 있어요.

다양한 생각과 함께 하는 독서록 ★

케이크는 과연 누가 가져간 것일까요?

쥐들이 도둑 누명을 쓴 이유는 무엇일까요?

누구를 주인공으로 삼으면 좋을까요?

이야기를 만들어 보세요.

제목 누가 주인공이야?

그림 속에 많은 동물들이 나오니까 누가 주인공인지 헷갈린다.
나는 토끼를 좋아하기 때문에 토끼를 주인공으로 이야기를 만들었다.
아기 토끼는 굉장히 까다롭다. 음식도 골라 먹고 옷도 자기 맘에 드는
것만 입는다. 어느 날 날씨가 맑고 좋아서 엄마가 소풍을 가자고 하셨다.
아기 토끼는 집에서 노는 게 더 좋았지만 밖에 나가면 엄마가
인형 하나를 더 사 준다고 해서 할 수 없이 따라가기로 했다.
그런데 숲을 지나가다가 인형을 떨어뜨렸다.
엄마 토끼는 그것도 모르고 빨리 가자고 재촉을 해서 아기 토끼가
울음을 터뜨렸다. 엄마 토끼는 괜히 운다고 화를 냈다.
나중에 알고 보니까 아기 토끼가 떨어뜨린 인형은
멍멍이 아저씨가 갖고 계셨다.
아기 토끼도 울음을 그치고 잘 놀다 집으로 돌아왔다.

2011년 12월 30일 초판 1쇄 발행 | 2011년 12월 26일 초판 1쇄 인쇄

글 조혜원 | 그림 박선미

펴낸이 정태선
기획·편집 안경란·이소영 | 디자인 고정자 | 마케팅 김현우·정하다

펴낸곳 파란정원 | 출판등록 제395-2010-000070호
주소 서울시 서대문구 홍제동 90-15 2층 | 전화 02-6925-1628 | 팩스 02-723-1629
전자우편 eatingbooks@naver.com
출력 스크린출력 | 종이 진영지업 | 인쇄 조일문화

ⓒ 조혜원 2011
ISBN 978-89-94813-14-1 63710